R.LeBreton
+
Aimée LeBreton
Hiver 1999

Illustrations et montage
Annette COUTURE
Line ROY

Copyright © 1988
Les éditions Le Griffon d'argile
7649, boulevard Wilfrid-Hamel
SAINTE-FOY (Québec) G2G 1C3
(418) 871-6898 • Télécopieur (418) 871-6818

Traité de chimie générale — Réponses aux questions — Exercices résolus
ISBN 2-920922-00-9

DÉPÔT LÉGAL
Bibliothèque nationale du Canada
Bibliothèque nationale du Québec
1er trimestre 1988

IMPRIMÉ AU CANADA ©

TRAITÉ DE CHIMIE GÉNÉRALE

JEAN-CHARLES COTNAM
RENÉ GENDRON

RÉPONSES AUX QUESTIONS
EXERCICES RÉSOLUS

les éditions
Le Griffon d'argile

TABLE DES SUJETS

RÉPONSES AUX QUESTIONS

Question 1.1

Le tableau périodique indique le numéro atomique de chacun des éléments; à ce numéro figurant en indice à la gauche du symbole de l'élément, correspondent le nombre de protons dans le noyau et le nombre d'électrons de l'atome neutre. L'exposant à gauche du symbole chimique indique le nombre de nucléons, soit la somme des protons et des neutrons dans le noyau.

Symbole	Nom	Protons	Neutrons	Électrons
$^{27}_{13}$Al	Aluminium	13	14	13
$^{11}_{5}$B	Bore	5	6	5
$^{35}_{17}$Cl	Chlore	17	18	17

Question 1.2

Le nombre quantique l peut prendre toutes les valeurs entières comprises entre 0 et $(n-1)$:

pour $n = 2$: $l = 0$ ou 1
pour $n = 2$: $l = 0$ et 1
pour $n = 5$: $l = 0, 1, 2, 3$ et 4

Question 1.3

Le nombre quantique m peut prendre toutes les valeurs entières comprises entre $+l$ et $-l$:

a) pour $n = 1$, l ne peut prendre que la valeur 0 et, par conséquent, la seule valeur permise de m est 0;

b) pour $l = 3$, m peut prendre les valeurs suivantes: +3, +2, +1, 0, -1, -2 et -3.

Question 1.4

Selon le tableau 1.3

	n	l	m	s
$2p_{+1}$	2	1	+1	+1/2 et -1/2
$5d$	5	2	+2, +1, 0, -1, -2	+1/2 et -1/2
$6f$	6	3	+3, +2, +1, 0, -1, -2, -3	+1/2 et -1/2

Question 1.5

En suivant l'ordre de remplissage de la *figure 1.8* et en tenant compte du fait que $_{15}P$ et $_{22}Ti$ ont respectivement 15 et 22 électrons, leur configuration électronique et leur représentation par cases quantiques sont les suivantes:

Question 1.6

Les électrons considérés comme périphériques sont les plus éloignés du noyau, soit, le plus souvent, ceux qui ont le nombre quantique principal, n, le plus élevé.

$_{13}Al : 3s^2\, 3p^1$

$_{6}C : 2s^2\, 2p^2$

$_{35}Br : 4s^2\, 4p^5$

Question 1.7

Un atome ou ion possède une symétrie sphérique si toutes les orbitales de même niveau énergétique sont remplies ou à demi-remplies d'électrons. En pratique, il suffit que les orbitales du niveau le plus éloigné du noyau soient à demi-remplies ou complètement remplies par les électrons périphériques de l'atome.

Élément	Électrons périphériques	Cases quantiques	Symétrie sphérique
$_{11}$Na	$3s^1$	[↑]	oui
$_{12}$Mg	$3s^2$	[↑↓]	oui
$_{13}$Al	$3s^2\,3p^1$	[↑↓] [↑][ ][ ]	non
$_{14}$Si	$3s^2\,3p^2$	[↑↓] [↑][↑][ ]	non
$_{15}$P	$3s^2\,3p^3$	[↑↓] [↑][↑][↑]	oui
$_{16}$S	$3s^2\,3p^4$	[↑↓] [↑↓][↑][↑]	non
$_{17}$Cl	$3s^2\,3p^5$	[↑↓] [↑↓][↑↓][↑]	non
$_{18}$Ar	$3s^2\,3p^6$	[↑↓] [↑↓][↑↓][↑↓]	oui

Question 1.8

a) L'énergie de première ionisation du magnésium, Mg, est plus grande que celle du baryum, Ba, les électrons périphériques du magnésium, $3s^2$, étant plus près du noyau que ceux du baryum, $6s^2$. L'attraction due aux protons plus nombreux du baryum est considérablement affaiblie par l'effet d'écran de ses électrons internes.

b) L'énergie de première ionisation du calcium est moins élevée que celle du brome. Les électrons périphériques du calcium, $4s^2$, et ceux du brome, $4s^2\,4p^5$, se situent dans des orbitales atomiques de même nombre quantique principal, $n = 4$, mais le nombre de protons contenus dans le noyau de l'atome de calcium (20) est inférieur à celui dans le noyau de l'atome de brome (35). Aussi, pour une distance à peu près égale entre un électron périphérique et le noyau, l'attraction est plus forte dans le cas de l'atome de brome, d'où son énergie de première ionisation plus élevée que celle de l'atome de calcium.

Question 1.9

a) La configuration électronique du phosphore est $1s^2\,2s^2\,2p^6\,3s^2\,3p^3$. Le phosphore peut perdre 3 électrons pour obtenir la symétrie sphérique due à la nouvelle configuration électronique $1s^2\,2s^2\,2p^6\,3s^2$, d'où le degré d'oxydation +3, ou perdre la totalité de ses 5 électrons périphériques pour obtenir la symétrie sphérique de la configuration électronique $1s^2\,2s^2\,2p^6$, d'où le degré d'oxydation +5. Cependant, la perte d'un sixième électron nécessiterait beaucoup plus d'énergie puisqu'il faudrait alors sortir de l'atome un électron interne situé dans l'orbitale $2p$ beaucoup plus près du noyau.

b) La configuration électronique du strontium est $1s^2\ 2s^2\ 2p^6\ 3s^2\ 3p^6\ 4s^2\ 3d^{10}$ $4p^6\ 5s^2$. Ce dernier peut perdre facilement ses deux électrons périphériques $5s^2$ mais beaucoup plus difficilement ses électrons internes, d'où un degré d'oxydation positif +2.

Question 1.10

a) L'iode, de configuration électronique périphérique $5p^5$, acquiert la symétrie sphérique de la configuration électronique périphérique $5p^6$ par l'ajout d'un seul électron, d'où le degré d'oxydation négatif -1.

b) Le soufre, de configuration électronique périphérique $3p^4$, acquiert la symétrie sphérique par l'ajout de deux électrons, d'où le degré d'oxydation négatif -2.

EXERCICES RÉSOLUS

Exercice 1

Symbole	Protons	Neutrons	Électrons	Charge	Nom de l'atome
$^{55}_{27}Co^{2+}$	27	28	25	+2	Cobalt
$^{223}_{88}Ra$	88	135	88	0	Radium
$^{139}_{53}I$	53	86	53	0	Iode
$^{3}_{2}He^{2+}$	2	1	0	+2	Hélium
$^{13}_{6}C$	6	7	6	0	Carbone
$^{29}_{14}Si$	14	15	14	0	Silicium
$^{34}_{16}S^{2-}$	16	18	18	-2	Soufre
$^{56}_{26}Fe^{2+}$	26	30	24	+2	Fer
$^{222}_{86}Rn^{3+}$	86	136	83	+3	Radon

Exercice 2

a) Cet atome neutre possède 14 électrons. Puisque l'atome est neutre, son noyau doit contenir 14 protons. Comme les petits atomes ont un nombre approximativement égal de neutrons et de protons, sa masse atomique approximative est donc 28.

b) Le numéro atomique est 14 puisqu'il doit correspondre au nombre de protons contenus dans le noyau.

Exercice 3

– Un spectre de raies prouve que l'énergie de l'électron ne peut prendre que certaines valeurs bien déterminées. Sinon, on observerait un spectre continu au lieu d'un spectre discontinu.

– Il permet de déterminer les différences d'énergie entre les niveaux d'énergie que peut occuper un électron puisque la radiation émise correspond au passage d'un électron d'un niveau d'énergie supérieur à un niveau d'énergie inférieur.

Exercice 4

Une orbitale atomique est un volume de l'espace autour d'un noyau atomique à l'intérieur duquel la probabilité de trouver un électron d'une énergie donnée est supérieure à 90%.

Exercice 5

Symbole	Nom	Valeurs permises	Signification physique
l	nombre quantique angulaire	0, 1, 2,...n-1	Formes des orbitales atomiques
m	nombre quantique magnétique	+l, ...+1, 0, -1...-l	Orientations spatiales des orbitales atomiques
n	nombre quantique principal	1, 2, 3, ...	Énergie de l'électron dans l'atome
s	nombre quantique de spin	+1/2, -1/2	Sens du champ magnétique de l'électron

Exercice 6

n	2	2	2	2
l	0	1	1	1
m	0	+1	0	-1
s	±1/2	±1/2	±1/2	±1/2

Exercice 7

a) n = 5, l =1 (orbitale p), m = +1, 0 et -1. Comme m peut prendre trois valeurs, il y a trois orbitales $5p$: $5p_{+1}$, $5p_0$ et $5p_{-1}$ ou $5p_x$ $5p_y$ et $5p_z$.

b)

n	l	m	Nombre d'orbitales
4	0	0	1
4	1	+1, 0, -1	3
4	2	+2, +1, 0, -1, -2	5
4	3	+3, +2, +1, 0, -1, -2, -3	7
Nombre total d'orbitales:			16

c) $n = 4$, $l = 3$ (orbitale f) et $m = $ +3, +2, +1, 0, -1, -2, -3, d'où sept orbitales pouvant contenir chacune 2 électrons (+1/2 et -1/2), pour un total de 14 électrons.

d) L'orbitale $2d$ ne peut pas exister, car, pour $n = 2$, l ne peut pas prendre la valeur 2, mais seulement les valeurs 0 et 1.

Exercice 8

Étant donné que m peut prendre les valeurs entières comprises entre $+l$ et $-l$, pour que m soit égal à +3, il faut que l soit égal ou supérieur à +3. Comme l doit être un nombre entier de 0 à $n - 1$, alors n doit être égal ou supérieur à quatre.

Exercice 9

Les lanthanides sont les quatorze éléments portant les numéros atomiques 58 à 71. Selon l'ordre de remplissage déjà décrit ou encore selon la forme du tableau périodique, ce sont les orbitales $4f$ qui commencent à se remplir au numéro atomique 58. Comme les orbitales f sont au nombre de sept (sept valeurs permises pour le nombre m) et que chacune peut contenir deux électrons, il s'ensuit la formation possible de 14 éléments par remplissage des orbitales f.

Exercice 10

a) Les alcalino-terreux sont les éléments du groupe IIA du tableau périodique. Aussi leur configuration électronique se termine en ns^2.

b) Les halogènes sont les éléments du groupe VIIB. Leur configuration électronique se termine en $ns^2 np^5$.

c) Les non-métaux sont les éléments situés à droite et au-dessus de la ligne en escalier du tableau périodique. Leur configuration électronique se termine en $ns^2 np^x$, où $1 \leq x \leq 6$.

d) Les métaux de transition se situent au centre du tableau périodique et leur configuration électronique se termine en $ns^x (n-1)d^y$, où x égale 1 ou 2 et $1 \leq y \leq 10$.

Exercice 11

a) $3s < 3p < 3d$. $3s$ correspond à $n = 3$, $l = 0$ et est moins éloignée du noyau que $3p$ qui correspond à $n = 3$, $l = 1$ qui est elle-même moins éloignée que $3d$, laquelle correspond à $n = 3$, $l = 2$.

b) Les trois orbitales ont la même énergie potentielle et se situent à la même distance par rapport au noyau puisqu'elles correspondent toutes aux nombres quantiques $n = 2$ et $l = 1$. Ce n'est que leur orientation relative qui diffère.

c) $1s < 2s < 3s$. Une orbitale est d'autant plus près du noyau que son nombre quantique principal n est petit.

d) $1s_{Li} < 1s_{He} < 1s_{H}$. Une même orbitale atomique est d'autant plus près du noyau que le nombre de protons de ce dernier est élevé.

Exercice 12

a) Les électrons périphériques de cet élément portant la valeur $n = 2$, cet élément fait partie de la deuxième période. Sa configuration électronique se terminant en $2s^2\,2p^2$ indique qu'il s'agit du quatrième élément de cette période, le carbone.

b) Les électrons périphériques de cet élément portant la valeur $n = 3$, cet élément fait partie de la troisième période. Sa configuration électronique se terminant en $3s^2$ indique qu'il s'agit du deuxième élément de cette période, le magnésium.

c) Les électrons périphériques de cet élément portant la valeur $n = 4$, cet élément fait partie de la quatrième période. Sa configuration électronique se terminant en $4s^2\,3d^{10}\,4p^3$ indique qu'il s'agit du quinzième élément de cette période, l'arsénic.

d) Les électrons périphériques de cet élément portant comme valeur la plus élevée $n = 5$, cet élément fait partie de la cinquième période. Sa configuration électronique se terminant en $5s^2\,4d^3$ indique qu'il s'agit du cinquième élément de cette période, le niobium.

e) L'électron périphérique de cet élément portant la valeur $n = 4$, cet élément fait partie de la quatrième période. Sa configuration électronique se terminant en $4s^1\,3d^{10}$ indique qu'il s'agit du onzième élément de cette période, le cuivre.

Exercice 13

a) Électrons internes: $1s^2$
   Électrons périphériques: $2s^2\,2p^5$

b) Électrons internes: $1s^2\,2s^2\,2p^6$
   Électrons périphériques: $3s^2\,3p^1$

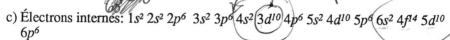

c) Électrons internes: $1s^2\ 2s^2\ 2p^6\ 3s^2\ 3p^6\ 4s^2\ 3d^{10}\ 4p^6\ 5s^2\ 4d^{10}\ 5p^6\ 6s^2\ 4f^{14}\ 5d^{10}$ $6p^6$

Électrons périphériques: $7s^2$

d) Électrons internes: $1s^2\ 2s^2\ 2p^6\ 3s^2\ 3p^6$

Électrons périphériques: $4s^2\ 3d^2$

Exercice 14

a) $_{16}$S: $1s^2\ 2s^2\ 2p^6\ 3s^2\ 3p^4$

électrons internes: $1s^2\ 2s^2\ 2p^6$

	n	l	m	s
$1s^2$	1	0	0	+1/2 et -1/2
$2s^2$	2	0	0	+1/2 et -1/2
$2p^6$	2	1	+1	+1/2 et -1/2
$2p^6$	2	1	0	+1/2 et -1/2
$2p^6$	2	1	-1	+1/2 et -1/2

électrons périphériques: $3s^2\ 3p^4$

	n	l	m	s
$3s^2$	3	0	0	+1/2 et -1/2
$3p^4$	3	1	+1	+1/2 et -1/2
$3p^4$	3	1	0	+1/2
$3p^4$	3	1	-1	+1/2

b) S^{2-}: $1s^2\ 2s^2\ 2p^6\ 3s^2\ 3p^6$

électrons internes: les mêmes que S.
électrons périphériques: $3s^2\ 3p^6$.
Aux deux électrons périphériques supplémentaires par rapport à l'atome neutre S correspondent les nombres quantiques suivants:

$n = 3, l = 1, m = 0, s = -1/2$
$n = 3, l = 1, m = -1,\ s = -1/2$

c) S^{4+}: $1s^2\ 2s^2\ 2p^6\ 3s^2$

électrons internes: les mêmes que S.
électrons périphériques: $3s^2$

Aux deux électrons périphériques correspondent les nombres quantiques suivants:

$n = 3, l = 0, m = 0, s = +1/2$
$n = 3, l = 0, m = 0, s = -1/2$

d) S^{6+}: $1s^2\, 2s^2\, 2p^6$

Les électrons de cet ion sont les mêmes que les électrons internes de S.

Exercice 15

$_{29}Cu$: $1s^2\, 2s^2\, 2p^6\, 3s^2\, 3p^6\, 4s^1\, 3d^{10}$
$_{29}Cu^+$: $1s^2\, 2s^2\, 2p^6\, 3s^2\, 3p^6\, 3d^{10}$

En ne perdant qu'un seul électron, $4s^1$, le cuivre sous forme d'ion Cu^+ conserve la symétrie sphérique.

$_{47}Ag$: $1s^2\, 2s^2\, 2p^6\, 3s^2\, 3p^6\, 4s^2\, 3d^{10}\, 4p^6\, 5s^1\, 4d^{10}$
$_{47}Ag^+$: $1s^2\, 2s^2\, 2p^6\, 3s^2\, 3p^6\, 4s^2\, 3d^{10}\, 4p^6\, 4d^{10}$

En ne perdant qu'un seul électron, $5s^1$, l'argent sous forme d'ion Ag^+ conserve la symétrie sphérique.
La plupart des éléments de transition ont une configuration électronique périphérique de la forme $ns^2\, (n-1)d^y$ qui leur permet de conserver la symétrie sphérique en perdant deux électrons, ns^2, d'où leur degré d'oxydation +2.

Exercice 16

Atome ou ion	Configuration électronique Cases quantiques	Symétrie sphérique
$_8O^{2-}$	$1s^2$ ⇅ $2s^2$ ⇅ $2p^6$ ⇅ ⇅ ⇅	oui
$_{17}Cl^-$	$1s^2$ ⇅ $2s^2$ ⇅ $2p^6$ ⇅ ⇅ ⇅ $3s^2$ ⇅ $3p^6$ ⇅ ⇅ ⇅	oui
$_{30}Zn$	$1s^2$ ⇅ $2s^2$ ⇅ $2p^6$ ⇅ ⇅ ⇅ $3s^2$ ⇅ $3p^6$ ⇅ ⇅ ⇅ $4s^2$ ⇅ $3d^{10}$ ⇅ ⇅ ⇅ ⇅ ⇅	oui
$_{16}S$	$1s^2$ ⇅ $2s^2$ ⇅ $2p^6$ ⇅ ⇅ ⇅ $3s^2$ ⇅ $3p^4$ ⇅ ↑ ↑	non
$_{11}Na^+$	$1s^2$ ⇅ $2s^2$ ⇅ $2p^6$ ⇅ ⇅ ⇅	oui

Exercice 17

a) Faux. Les éléments de transition du groupe IVA doivent avoir quatre électrons périphériques, à savoir: $ns^2 (n-1)d^2$.

b) Vrai. Les électrons $2p$ de l'atome de soufre sont attirés par les 16 protons de son noyau alors que seulement 8 protons attirent les électrons de l'atome d'oxygène.

c) Faux. La charge nucléaire du calcium étant plus grande que celle du magnésium, les électrons $3s$ du calcium, plus fortement attirés, évoluent plus près du noyau que ceux du magnésium.

d) Faux. Les électrons de l'orbitale $3p$ étant plus éloignés du noyau que ceux de l'orbitale $2p$, ils sont plus faciles à extraire.

Exercice 18

a) Énergie de première ionisation du sodium, soit: 496 kJ/mol.

b) La somme des trois premières énergies d'ionisation de l'aluminium, soit: $578 + 1817 + 2745 = 5140$ kJ/mol.

c) La première affinité électronique du fluor, soit: -333 kJ/mol.

d) La somme des deux premières affinités électroniques de l'oxygène, soit: $-142 + 844 = 702$ kJ/mol.

e) La somme des cinq première énergie d'ionisation du chlore et de l'inverse de sa première affinité électronique, soit:
$1251 + 2298 + 3822 + 5154 + 6543 + 348 = 19\ 416$ kJ/mol.

Exercice 19

L'énergie d'ionisation est l'énergie impliquée lors de la transformation
$$Na_{(g)} \rightarrow Na^+_{(g)} + e^-$$
Elle s'obtient ainsi:

$$Na_{(g)} \rightarrow Na_{(s)} + 109 \text{ kJ/mol}$$
$$Na_{(s)} + 606 \text{ kJ/mol} \rightarrow Na^+_{(g)} + e^-$$
$$\overline{Na_{(g)} + 497 \text{ kJ/mol} \rightarrow Na^+_{(g)} + e^-}$$

Donc l'énergie d'ionisation du sodium à 25°C est de 497 kJ/mol.

Exercice 20

a) Configuration électronique de Ca:

$1s^2\ 2s^2\ 2p^6\ 3s^2\ 3p^6\ 4s^2$

Électrons périphériques: $4s^2$

Degré d'oxydation positif: +2

Degré d'oxydation négatif: aucun puisque le calcium est un métal.

b) Configuration électronique de Si:

$1s^2\ 2s^2\ 2p^6\ 3s^2\ 3p^2$

Électrons périphériques: $3s^2\ 3p^2$

Degrés d'oxydation positifs: +2 et +4

Degré d'oxydation négatif: -4

c) Configuration électronique de Sc:

$1s^2\ 2s^2\ 2p^6\ 3s^2\ 3p^6\ 4s^2\ 3d^1$

Électrons périphériques: $4s^2\ 3d^1$

Degré d'oxydation positif: +3

Degré d'oxydation négatif: aucun puisque le scandium est un métal.

d) Configuration électronique de S:

$1s^2\ 2s^2\ 2p^6\ 3s^2\ 3p^4$

Électrons périphériques: $3s^2\ 3p^4$

Degrés d'oxydation positifs: +4 et +6

Degré d'oxydation négatif: -2

e) Configuration électronique de Li:

$1s^2\ 2s^1$

Électron périphérique: $2s^1$

Degré d'oxydation positif: +1

Degré d'oxydation négatif: aucun puisque le lithium est un métal.

f) Configuration électronique de Br:

$1s^2\ 2s^2\ 2p^6\ 3s^2\ 3p^6\ 4s^2\ 3d^{10}\ 4p^5$

Électrons périphériques: $4s^2\ 4p^5$

Degrés d'oxydation positifs: +5 et +7 (parfois +3)

Degré d'oxydation négatif: -1

Exercice 21

1. b. Parmi les atomes ayant des électrons périphériques dans les orbitales de valeur de n la plus petite, $n = 2$, b est celui qui possède le plus grand nombre de protons.

2. a. Parmi les atomes ayant des électrons périphériques dans les orbitales de valeur de n la plus grande, $n = 3$, a possède le plus petit nombre de protons.

3. a. Après avoir enlevé un électron à chacun des atomes, les configurations électroniques deviennent les suivantes:

a) $1s^2\ 2s^2\ 2p^6$

b) $1s^2\ 2s^2\ 2p^5$

c) $1s^2\ 2s^2\ 2p^6\ 3s^1$

d) $1s^2\ 2s^2\ 2p^6\ 3s^2$

e) $1s^2\ 2s^2\ 2p^4$

Parmi les atomes ayant des électrons périphériques dans les orbitales de valeur de n la plus petite, $n = 2$, a possède le plus grand nombre de protons.

4. c. Parmi les atomes ayant des électrons périphériques dans les orbitales de valeur de n la plus grande, $n = 3$, c possède le moins grand nombre de protons.

5. c. Après avoir enlevé 2 électrons à chacun des atomes, les configurations électroniques deviennent:

      a) $1s^2 \, 2s^2 \, 2p^5$
      b) $1s^2 \, 2s^2 \, 2p^4$
      c) $1s^2 \, 2s^2 \, 2p^6$
      d) $1s^2 \, 2s^2 \, 2p^6 \, 3s^1$
      e) $1s^2 \, 2s^2 \, 2p^3$

Parmi les atomes ayant des électrons périphériques dans les orbitales de valeur de n la plus petite, $n = 2$, c possède le plus grand nombre de protons.

6. d. Seul d a un électron périphérique dans une orbitale de nombre quantique $n = 3$.

7. e. Après avoir enlevé trois électrons à chacun des atomes, les configurations électroniques deviennent:

      a) $1s^2 \, 2s^2 \, 2p^4$
      b) $1s^2 \, 2s^2 \, 2p^3$
      c) $1s^2 \, 2s^2 \, 2p^5$
      d) $1s^2 \, 2s^2 \, 2p^6$
      e) $1s^2 \, 2s^2 \, 2p^2$

Tous les atomes ont des électrons périphériques dans les orbitales $2p$ mais e possède le moins grand nombre de protons.

Exercice 22

Représentations par cases quantiques des électrons périphériques:

a) $2s^2$ $2p^5$

    [↑↓]   [↑↓|↑↓|↑]

b) $5s^1$

    [↑]

c) $4s^1$ $3d^5$

    [↑]   [↑|↑|↑|↑|↑]

d) $3s^2$ $3p^3$

    [↑↓]   [↑|↑|↑]

e) $4s^2$ $4p^2$

| ↑↓ | | ↑ | ↑ | |

f) $3s^2$ $3p^4$

| ↑↓ | | ↑↓ | ↑ | ↑ |

g) $2s^2$ $2p^4$

| ↑↓ | | ↑↓ | ↑ | ↑ |

h) $4s^2$

| ↑↓ |

1. b, c, d et h. Les orbitales de niveau le plus éloigné du noyau sont, soit à demi ou complètement remplies dans le cas de ces atomes.

2. e, f et g. (voir représentations par cases quantiques).

3. b. Les alcalins ont une configuration électronique périphérique de la forme ns^1.

4. c. Les éléments de transition se caractérisent par la configuration électronique périphérique ns^1 ou ns^2 suivie de $(n-1)d^x$, où $1 \le x \le 10$.

5. c. Cet atome a 24 électrons et un atome neutre possède autant de protons que d'électrons.

6. a. Les halogènes se caractérisent par la configuration électronique périphérique $ns^2\, np^5$.

7. a. Dans ce cas, l'électron supplémentaire vient se placer très près du noyau ($n = 2$) et permet à l'atome d'acquérir la symétrie sphérique.

8. a, g, f, d, e, c, h, b. Plus le nombre quantique, n, des électrons périphériques est élevé, plus le rayon atomique est grand. Lorsque les configurations électroniques périphériques ont la même valeur de nombre quantique n, le rayon atomique diminue avec le nombre de protons.

COMPOSÉS

RÉPONSES AUX QUESTIONS

Question 2.1

Dans un groupe, l'électronégativité augmente de bas en haut, les électrons périphériques se rapprochant alors du noyau. Dans une période, elle augmente de gauche à droite, le nombre de protons augmentant alors. D'où le classement suivant:

$$_{56}Ba, _{38}Sr, _{22}Ti, _{30}Zn, _{14}Si, _6C, _8O, _9F$$

Question 2.2

a) $^{\partial+}Na\text{-}F^{\partial-}$: F étant plus électronégatif que Na

b) F-F: aucune séparation de charge ne se produit puisque les deux atomes sont identiques.

c) $^{\partial+}NO^{\partial-}$: O étant plus électronégatif que N.

Question 2.3

a) LiCl: Différence d'électronégativité: $3,16 - 0,98 = 2.18$
           Pourcentage ionique: 70% (d'après le tableau 2.2)
           Composé ionique.

b) CO: Différence d'électronégativité: $3,44 - 2,55 = 0,89$
           Pourcentage ionique: 19%
           Composé covalent polaire.

c) I_2:   Différence d'électronégativité: $2,66 - 2,66 = 0,00$
           Pourcentage ionique: 0%
           Composé covalent polaire.

Question 2.4

a) $MgBr_2$

      Mg: +2. C'est un alcalino-terreux.
      Br: -1, pour obtenir une molécule neutre.

b) $Cu(OH)_2$

> OH^-: radical hydroxyde
> H: +1.C'est l'élément le moins électronégatif du radical
> O: -2, pour obtenir la charge du radical
> Cu: +2, pour obtenir une molécule neutre.

c) $Ca_3(PO_3)_2$

> Ca^{2+} : un alcalino-terreux
> PO_3^{3-}: radical du groupe VB, de charge -3 afin d'obtenir une molécule
> > neutre.
>
> O: -2
> P: +3: pour que la charge globale du radical soit -3.

Question 2.5

a) Ordre d'électronégativité: Fe, I.

> Fe: La configuration électronique du fer se termine en $4s^2\,3d^6$. Cet élément métallique acquiert la symétrie sphérique en cédant un électron $3d$ et les deux électrons $4s$. Son degré d'oxydation est alors +3. Il peut également, comme la plupart des éléments de transition, avoir le degré d'oxydation +2.
>
> I: Élément non métallique du groupe VIIB qui acquiert la symétrie sphérique en acceptant un électron. Son degré d'oxydation est alors -1.
> Les composés possibles sont donc: FeI_3 et FeI_2.

b) Ordre d'électronégativité: Na, C, O.

> Na: Élément métallique du groupe IA, il acquiert la symétrie sphérique en perdant un électron, d'où le degré d'oxydation +1.
> C et O: Éléments non métalliques d'électronégativité semblable, ils peuvent former un radical CO_3^{2-} (tableau 2.4) lorsque C est au degré d'oxydation +4 et O, –2.
> Le composé est donc Na_2CO_3.

Question 2.6

a) acide sulfhydrique:

> C'est un acide, donc un composé qui contient de l'hydrogène au degré d'oxydation +1. Le mot sulfhydrique indique que ce composé contient du soufre; de plus, la terminaison *hydrique* indique que la formule ne contient pas d'atome d'oxygène et que le non-métal possède un degré d'oxydation négatif. Le seul degré d'oxydation négatif du soufre étant -2, la formule de l'acide sulfhydrique est donc H_2S.

b) acide iodique

> acide: ce composé contient de l'hydrogène au degré d'oxydation +1.
> iodique: ce composé contient de l'oxygène dont le degré d'oxydation est -2 et de l'iode, de degré d'oxydation positif. Il y a trois degrés d'oxydation positifs possibles pour l'iode: +1, +5 et +7. Les deux plus élevés, +5 et +7,

s'identifient par une terminaison en *ique* , le plus élevé, +7, accompagné du préfixe *per* . Aussi la formule de l'acide iodique est HIO_3.

c) HI

Forme: hydrogène et non-métal. Il s'agit donc d'un hydracide, d'où le nom acide iodhydrique.

d) HNO_2

Forme: hydrogène, non-métal et oxygène. Il s'agit donc d'un oxacide. Le degré d'oxydation de l'azote dans ce composé est de +3 et, d'après le tableau 2.4 , c'est le degré d'oxydation le moins élevé pour l'azote; d'où le nom acide nitreux.

Question 2.7

a) $MgSO_4$

1. Type de sel: sel d'oxacide (métal + non-métal + oxygène);
2. Ions composants le sel: Mg^{2+} (groupe IIA) et SO_4^{2-} (radical du groupe VIB);
3. Degrés d'oxydation des éléments: Mg (+2), S (+6), O (-2);
4. Nom du radical: sulfate (le degré d'oxydation du soufre étant son plus élevé);
5. Nom du sel: sulfate de magnésium.

b) iodure d'étain (II):

1. Type de sel: sel d'hydracide à cause de la terminaison en *ure* ;
2. Ions composants le sel: Sn^{2+} (à cause de II) et I^- (iodure);
3. Formule du sel: SnI_2.

c) hydrogénosulfure de sodium

1. Type de sel: sel d'hydracide, à cause de la terminaison en *ure* et sel contenant de l'hydrogène à cause du préfixe *hydrogéno* ;
2. Ions composant le sel: Na^+, HS^- (hydrogénosulfure: HS^-);
3. Formule du sel: NaHS.

d) $Fe_3(PO_4)_2$

1. Type de sel: sel d'oxacide (métal + non-métal + oxygène);
2. Ions composant le sel: Fe^{2+} et PO_4^{3-};
3. Degrés d'oxydation des éléments: Fe (+2), P (+5), O (-2)
4. Nom des ions et radicaux: ion ferreux, Fe^{2+}, et radical phosphate, PO_4^{3-}, puisque le phosphore est à son degré d'oxydation le plus élevé, +5;
5. Nom du sel: phosphate ferreux ou phosphate de fer (II).

EXERCICES RÉSOLUS

Exercice 1

composé	liaison	différence d'électronégativité	pourcentage ionique
NaCl	Na-Cl	3,16 - 0,93 = 2,23	70
$MgCl_2$	Mg-Cl	3,16 - 1,31 = 1,85	59
HCl	H-Cl	3,16 - 2.20 = 0,96	22
Cl_2	Cl-Cl	3,16 - 3,16 = 0,00	0
CCl_4	C-Cl	3,16 - 2,55 = 0,61	9

La liaison la plus ionique correspond à celle qui a la plus grande différence d'électronégativité entre ses deux atomes. NaCl est donc le composé le plus ionique.

Exercice 2

composé	liaison	différence d'électronégativité
H_2O	H-O	3,44 - 2,20 = 1,24
CO_2	C-O	3,44 - 2,55 = 0,89
NO_2	N-O	3,44 - 3,04 = 0,40
O_2	O-O	3,44 - 3,44 = 0,00
SO_2	S-O	3,44 - 2,58 = 0,86

La liaison la moins polaire est celle de plus faible différence d'électronégativité, soit la liaison O-O dans la molécule O_2. La liaison la plus polaire est celle de plus grande différence d'électronégativité, soit la liaison H-O dans le composé H_2O.

Exercice 3

oxyde	liaison	différence d'électronégativité
Na_2O	Na-O	3,44 - 0,93 = 2,51
MgO	Mg-O	3,44 - 1,31 = 2,13
Al_2O_3	Al-O	3,44 - 1,61 = 1,83
SiO_2	Si-O	3,44 - 1,90 = 1,54
P_2O_3	P-O	3,44 - 2,19 = 1,25
P_2O_5	P-O	3,44 - 2,19 = 1,25
SO_2	S-O	3,44 - 2,58 = 0,86
SO_3	S-O	3,44 - 2,58 = 0,86
Cl_2O	Cl-O	3,44 - 3,16 = 0,28
Cl_2O_3	Cl-O	3,44 - 3,16 = 0,28
Cl_2O_5	Cl-O	3,44 - 3,16 = 0,28
Cl_2O_7	Cl-O	3,44 - 3,16 = 0,28

Plus la différence d'électronégativité est élevée, plus grande est la polarité de la liaison. Aussi les liaisons, par ordre croissant de polarité, se retrouvent dans les formules suivantes:

$$Cl_2O_7 = Cl_2O_5 = Cl_2O_3 = Cl_2O < SO_3 = SO_2 < P_2O_5 = P_2O_3$$
$$< SiO_2 < Al_2O_3 < MgO < Na_2O$$

Exercice 4

a) Toute substance du tableau périodique. Par exemple, le sodium, Na.

b) Tout élément situé à gauche et en dessous de la ligne en escalier du tableau périodique. Par exemple, le fer, Fe.

c) Tout élément situé à droite et au-dessus de la ligne en escalier du tableau périodique. Par exemple, le silicium, Si.

d) Non-métal + oxygène. Par exemple, le pentoxyde de phosphore, P_2O_5.

e) Métal + oxygène. Par exemple, l'oxyde de magnésium, MgO.

f) Hydrogène + non-métal. Par exemple, l'acide chlorhydrique, HCl.

g) Hydrogène + non-métal + oxygène. Par exemple, l'acide nitrique, HNO_3.

h) Métal + non-métal. Par exemple, le chlorure de sodium, NaCl.

i) Métal + non-métal + oxygène. Par exemple, le sulfate de sodium, Na_2SO_4.

j) Métal + oxygène + hydrogène. Par exemple, l'hydroxyde de calcium, $Ca(OH)_2$.

Exercice 5

Nom du composé	Formule	Degré d'oxydation	Classe de composé
oxyde cuivrique	CuO	O(-2), Cu(+2)	oxyde métallique
acide sulfurique	H_2SO_4	H(+1), O(-2), S(+6)	oxacide
azote	N_2	N (0)	non-métal
pentoxyde de phosphore	P_2O_5	O(-2), P(+5)	oxyde non métallique
chlorure de titane (IV)	$TiCl_4$	Cl(-1),Ti (+4)	sel d'hydracide
acide sulfhydrique	H_2S	H(+1), S(-2)	hydracide
oxyde d'aluminium	Al_2O_3	O(-2), Al(+3)	oxyde métallique
acide iodhydrique	HI	H(+1), I(-1)	hydracide
sulfite d'ammonium	$(NH_4)_2SO_3$	O(-2), S(+4),	sel d'oxacide
		H(+1), N(-3)	
nitrate de potassium	KNO_3	K(+1), O(-2), N(+5)	sel d'oxacide
dihydrogénophosphate	$Ba(H_2PO_4)_2$	Ba(+2),H(+1),	sel hydrogéné d'oxacide
de baryum		O(-2),P(+5)	
hypochlorite de sodium	$NaClO$	Na(+1), O(-2), Cl(+1)	sel d'oxacide
monoxyde de carbone	CO	O(-2), C(+2)	oxyde non métallique
iodure de potassium	KI	K(+1), I(-1)	sel d'hydracide
chromate de potassium	K_2CrO_4	K(+1), O(-2), Cr(+6)	sel d'oxacide
oxyde de calcium	CaO	Ca (+2), O(-2)	oxyde métallique
silicate de sodium	Na_2SiO_3	Na(+1), O(-2), Si(+4)	sel d'oxacide
dioxyde de soufre	SO_2	O(-2), S(+4)	oxyde non métallique
iodate de magnésium	$Mg(IO_3)_2$	Mg(+2), O(-2), I(+5)	sel d'oxacide
acide cyanhydrique	HCN	H(+1), N(-3), C(+2)	hydracide
perchlorate d'argent	$AgClO_4$	O(-2), Ag(+1), Cl(+7)	sel d'oxacide
acide phosphoreux	H_3PO_3	H(+1), O(-2), P(+3)	oxacide
hydroxyde de baryum	$Ba(OH)_2$	Ba(+2), O(-2), H(+1)	hydroxyde
oxyde de nickel (II)	NiO	O(-2), Ni(+2)	oxyde métallique
hydroxyde d'étain (IV)	$Sn(OH)_4$	H(+1), O(-2), Sn(+4)	hydroxyde
sulfate de zinc	$ZnSO_4$	O(-2), Zn(+2), S(+6)	sel d'oxacide
phosphorure de lithium	Li_3P	Li(+1), P(-3)	sel d'hydracide
bromure de cobalt (III)	$CoBr_3$	Br(-1), Co(+3)	sel d'hydracide
fer	Fe	Fe(0)	métal
iodure de plomb (II)	PbI_2	I(-1), Pb(+2)	sel d'hydracide
dichromate de			
tungstène (III)	$W_2(Cr_2O_7)_3$	O(-2), Cr(+6), W(+3)	sel d'oxacide
sulfure d'antimoine(III)	Sb_2S_3	S(-2), Sb(+3)	sel d'hydracide

Exercice 6

Degrés d'oxydation	radical	formule	classe	nom
a) Ba (+2), Br (-1)	—	$BaBr_2$	sel d'hydracide	bromure de baryum
b) Ag (+1), S (-2)	—	Ag_2S	sel d'hydracide	sulfure d'argent
c) P (+3), Cl (-1)	—	PCl_3	—	trichlorure de phosphore
P (+5), Cl (-1)	—	PCl_5	—	pentachlorure de phosphore
d) K (+1), S (+4), O (-2)	SO_3^{2-}	K_2SO_3	sel d'oxacide	sulfite de potassium
K (+1), S (+6), O (-2)	SO_4^{2-}	K_2SO_4	sel d'oxacide	sulfate de potassium
e) Mg (+2), As (+3), O (-2)	AsO_3^{3-}	$Mg_3(AsO_3)_2$	sel d'oxacide	arsenite de magnésium
Mg (+2), As (+5), O (-2)	AsO_4^{3-}	$Mg_3(AsO_4)_2$	sel d'oxacide	arseniate de magnésium
f) Fe (+2), C (+4), O (-2)	CO_3^{2-}	$FeCO_3$	sel d'oxacide	carbonate de fer (II) ou ferreux
Fe (+3), C (+4), O (-2)	CO_3^{2-}	$Fe_2(CO_3)_3$	sel d'oxacide	carbonate de fer(III) ou ferrique
g) H(+1), Cl(+1), O(-2)	ClO^-	$HClO$	oxacide	acide hypochloreux
H(+1), Cl(+3), O(-2)	ClO_2^-	$HClO_2$	oxacide	acide chloreux
H(+1), Cl(+5), O(-2)	ClO_3^-	$HClO_3$	oxacide	acide chlorique
H(+1), Cl(+7), O(-2)	ClO_4^-	$HClO_4$	oxacide	acide perchlorique
h) Na (+1), Mn (+7), O (-2)	MnO_4^-	$NaMnO_4$	sel d'oxacide	permanganate de sodium
i) Sr (+2), H(+1), O(-2), P(+3)	HPO_3^{2-}	$SrHPO_3$	sel hydrogéné d'oxacide	monohydrogénophosphite de strontium
Sr (+2), H(+1), O(-2), P(+3)	$H_2PO_3^-$	$Sr(H_2PO_3)_2$	sel hydrogéné d'oxacide	dihydrogénophosphite de strontium
Sr (+2), H(+1), O(-2), P(+5)	HPO_4^{2-}	$SrHPO_4$	sel hydrogéné d'oxacide	monohydrogénophosphate de strontium
Sr (+2), H(+1), O(-2), P(+5)	$H_2PO_4^-$	$Sr(HPO_4)_2$	sel hydrogéné d'oxacide	dihydrogénophosphate de strontium

Exercice 7

a) $2 Ca + O_2 \rightarrow 2 CaO$
métal + oxygène $\rightarrow$ oxyde de métal

b) $S_8 + 8 O_2 \rightarrow 8 SO_2$
non-métal + oxygène $\rightarrow$ oxyde de non-métal

c) $SO_3 + H_2O \rightarrow H_2SO_4$
oxyde de non-métal + eau $\rightarrow$ oxacide

d) $CaO + H_2O \rightarrow Ca(OH)_2$
oxyde de métal + eau $\rightarrow$ hydroxyde

e) $KOH + HCl \rightarrow KCl + H_2O$
hydroxyde (basique) + hydracide $\rightarrow$ sel d'hydracide + eau

f) $Ca(OH)_2 + 2 H_3PO_4 \rightarrow Ca(H_2PO_4)_2 + 2 H_2O$
hydroxyde (basique) + oxacide $\rightarrow$ sel d'oxacide + eau

g) $H_2SO_4 + HI \rightarrow$ pas de réaction entre deux acides
oxacide + hydracide

h) $CO_2 + 2 NaOH \rightarrow Na_2CO_3 + H_2O$
oxyde de non-métal + hydroxyde $\rightarrow$ sel d'oxacide + eau

i) $MgO + 2 HCl \rightarrow MgCl_2 + H_2O$
oxyde métallique + hydracide $\rightarrow$ sel d'hydracide + eau

j) $CuO + H_2SO_4 \rightarrow CuSO_4 + H_2O$
oxyde de métal + oxacide $\rightarrow$ sel d'oxacide + eau

RÉPONSES AUX QUESTIONS

Question 3.1
m($MgCl_2$) = 25,0 g
n(Cl^-) = ?
n(Mg^{2+}) = ?
n($MgCl_2$) = m($MgCl_2$)/ M($MgCl_2$)
n($MgCl_2$) = 25,0 g / 95,211 g/mol = 0,263 mol
n(Cl^-) = 2 n($MgCl_2$) = 0,526 mol
n(Mg^{2+}) = n($MgCl_2$) = 0,263 mol

Question 3.2
T = 25,0°C
p = 200 kPa
Volume d'une mole = ?

pV = nRT
V = nRT/p
V =[1 mol × (8,31 kPa-L/ K-mol) × (273,1+25,0)K] / 200 kPa
V = 12,4 L

Question 3.3
Équation non équilibrée:
        HCl + Al → $AlCl_3$ + H_2
Équilibrage des atomes H en multipliant HCl par 2:
        2 HCl + Al → $AlCl_3$ + H_2
Équilibrage des atomes de Cl en multipliant $AlCl_3$ par 2/3 :
        2 HCl + Al → 2/3 $AlCl_3$ + H_2
Équilibrage des atomes Al en multipliant Al par 2/3:
        2 HCl + 2/3 Al → 2/3 $AlCl_3$ + H_2
Multiplication de l'équation par 3 afin d'obtenir uniquement des nombres entiers:
        6 HCl + 2 Al → 2 $AlCl_3$ + 3 H_2

EXERCICES RÉSOLUS

Exercice 1

a) 3 atomes: un atome de Ca et deux atomes de Cl.

b) 11 atomes: un atome de Mg, deux de Cl et huit de O.

c) 13 atomes: trois atomes de Ca, deux de P et huit de O.

Exercice 2

$M(^{63}Cu) = 62,9298$

$M(^{65}Cu) = 64,9278$

$M(Cu) = 63,546$ (d'après le tableau périodique)

$\%(^{63}Cu) = x$

$\%(^{65}Cu) = 100 - x$

$100\ M(Cu) = [M(^{63}Cu) \times \%(^{63}Cu)] + [M(^{65}Cu) \times \%(^{65}Cu)]$

$100 \times 63,546 = 62,9298\ x + 64,9278\ (100 - x)$

$1,998\ x = 138,18$

$\%(^{63}Cu) = x = 69,16\%$

$\%(^{65}Cu) = 100 - 69,16\% = 30,84\%$

Exercice 3

$n(H_3PO_4) = 0,40$ mol

a) $m(H_3PO_4) = ?$

$\quad m(H_3PO_4) = n(H_3PO_4)\ \times M(H_3PO_4)$

$\quad m(H_3PO_4) = 0,40$ mol $\times 97,991$ g/mol $= 39$ g

b) $n(H) = ?$

$\quad n(P) = ?$

D'après la formule H_3PO_4, il y a trois moles d'atomes d'hydrogène et une mole d'atomes de phosphore pour une mole de molécules d'acide phosphorique, d'où:

$n(H) = 3\ n(H_3PO_4)$

$n(H) = 3 \times 0,40$ mol $= 1,2$ mol

$n(P) = n(H_3PO_4)$

$n(P) = 1 \times 0,40$ mol $= 0,40$ mol

c) $m(H) = ?$

$\quad m(P) = ?$

$\quad m(H) = n(H) \times M(H)$

$\quad m(H) = 1,2$ mol $\times 1,0079$ g/mol $= 1,2$ g

$\quad m(P) = n(P) \times M(P)$

$\quad m(P) = 0,40$ mol $\times 30,9737$ g/mol $= 12$ g

d) $N(H_3PO_4) = ?$

$N(H_3PO_4) = n(H_3PO_4) \times N_A$
$N(H_3PO_4) = 0,40 \text{ mol} \times 6,023 \times 10^{23} \text{ molécules/mol}$
$N(H_3PO_4) = 2,4 \times 10^{23} \text{ molécules}$

e) $N(H) = ?$
$N(P) = ?$

$N(H) = n(H) \times N_A$
$N(H) = 1,2 \text{ mol} \times 6,023 \times 10^{23} \text{ atomes/mol} = 7,2 \times 10^{23} \text{ atomes}$
$N(P) = n(P) \times N_A$
$N(P) = 0,40 \text{ mol} \times 6,023 \times 10^{23} \text{ atomes/mol} = 2,4 \times 10^{23} \text{ atomes}$

Exercice 4
a) $m(Ca) = 10,12 \text{ g}$
$n(Ca) = ?$

$n(Ca) = m(Ca) / M(Ca) = 10,12 \text{ g} / (40,08 \text{ g/mol}) = 0,2525 \text{ mol}$

b) $m(O_2) = 32,00 \text{ g}$
$n(O_2) = ?$

$n(O_2) = m(O_2) / M(O_2) = 32,00 \text{ g} / (31, 9988 \text{ g/mol}) = 1,000 \text{ mol}$

Exercice 5

$m(H_2O) = 1,00 \text{g}$
$N(H_2O) = ?$

$N(H_2O) = n(H_2O) \times N_A = m(H_2O) \times N_A / M(H_2O)$
$N(H_2O) = 1,00 \text{ g} \times 6,023 \times 10^{23} \text{ molécules} / (18,0152 \text{ g/mol})$
$N(H_2O) = 3,34 \times 10^{22} \text{ molécules}$

Exercice 6

$m(C) = 1,00 \text{ mg ou } 1, 00 \times 10^{-3} \text{ g}$
$N(C) = ?$

Déterminons d'abord le nombre de moles de C.
$n(C) = m(C) / M(C) = 1,00 \times 10^{-3} \text{ g} / (12,011 \text{ g/mol})$
$n(C) = 8,33 \times 10^{-5} \text{ mol}$

Le nombre d'atome est donné par l'équation suivante:
$N(C) = n(C) \times N_A = 8,33 \times 10^{-5} \text{ mol} \times 6,023 \times 10^{23} \text{ atomes/mol}$
$N(C) = 5,01 \times 10^{19} \text{ atomes}$

Exercice 7

V = 100,0 L
n(He) = 5,00 moles
m(O_2) = 80,0 g
m(Ne) = 60,0 g
T = 27,0°C
p(He) = ?
p(O_2) = ?
p(Ne) = ?

p(He) = n(He) RT / V
p(He) = (5,00 mol × 8,31 kPa-L/ K-mol × 300,0 K) / 100,0 L
p(He) = 125 kPa

p(O_2) = n(O_2) RT / V = m(O_2) RT / M(O_2) V
p(O_2) = (80,0 g × 8,31 kPa-L / K-mol × 300,0 K) / (31,9988 g/mol × 100,0 L)
p(O_2) = 62,3 kPa

p(Ne) = n(Ne) RT / V = m(Ne) RT / M(Ne) V
p(Ne) = (60,0 g × 8,31 kPa-L/K-mol × 300,0 K) / (20,179 g/mol × 100,0 L)
p(Ne) = 74,1 kPa

Exercice 8

m(H_2O) = 5,00 g
ρ(liquide) = 0,9982 g/ cm³
T(gaz) = 150°C
p(gaz) = 101,3 kPa

− Volume d'eau liquide, V(liquide):
   V(liquide) = m(H_2O) / ρ(liquide)
   V(liquide) = 5,00 g / (0,9982 g/cm³) = 5,01 cm³

− Volume d'eau gazeuse, V(gaz):
   V(gaz) = n(gaz)RT / p(gaz) = m(H_2O) RT / M(H_2O) p(gaz)
   V(gaz) = (5,00 g × 8,31 kPa-L/ K-mol × 423 K)/ (18,0152 g/mol × 101,3 kPa)
   V(gaz) = 9,63 L

− Masse volumique de la vapeur d'eau, ρ(gaz):
   ρ(gaz) = m(H_2O) / V(gaz) = 5,00 g / 9,63 L = 0,519 g/L
   ρ(gaz) = 5,19 × 10^{-4} g/cm³

Exercice 9

% S = 72,13%
% P = 100% - 72,13% = 27,87%
Formule empirique = ?

Supposons 100,0 g de substance. On a:

$m(S) = 100,0 \text{ g} \times 72,13 / 100 = 72,13 \text{ g}$

$n(S) = m(S) / M(S) = 72,13 \text{ g} / (32,06 \text{ g/mol}) = 2,250 \text{ mol}$

$m(P) = 100,0 \text{ g} \times 27,87 / 100 = 27,87 \text{ g}$

$n(P) = m(P) / M(P) = 27,87 \text{ g} / (30,9737 \text{ g/mol}) = 0,9000 \text{ mol}$

Formule: $P_{0,9000} S_{2,250}$

En divisant chacun des indices par 0,9000, on obtient la formule $P_1 S_{2,5}$ et, en multipliant par 2 afin de n'obtenir que des nombres entiers, la formule empirique devient: $P_2 S_5$.

Exercice 10

$m(\text{composé}) = 31,6 \text{ g}$

$\%K = 24,7\%$

$\%Mn = 34,8\%$

$\%O = 40,50\%$

$M(\text{composé}) = 158,0 \text{ g/mol}$

Formule moléculaire: ?

$m(K) = 31,6 \text{ g} \times 0,247 = 7,81 \text{ g}$

$n(K) = 7,81 \text{ g} / (39,098 \text{ g/mol}) = 0,200 \text{ mol}$

$m(Mn) = 31,6 \text{ g} \times 0,348 = 11,0 \text{ g}$

$n(Mn) = 11,0 \text{ g} / (54,9380 \text{ g/mol}) = 0,200 \text{ mol}$

$m(O) = 31,6 \text{ g} \times 0.4050 = 12,8 \text{ g}$

$n(O) = 12,8 \text{ g} / (15,9994 \text{ g/mol}) = 0,800 \text{ mol}$

Formule empirique: $K_{0,200} Mn_{0,200} O_{0,800}$ ou $KMnO_4$

Masse molaire de la formule empirique:

$39,098 \text{ g/mol} + 54,9380 \text{ g/mol} + 4 (15,9994 \text{ g/mol}) = 158,034 \text{ g/mol}$

Donc la formule moléculaire est $(KMnO_4)_1$ ou $KMnO_4$

Exercice 11

a) $Mg + O_2 \rightarrow MgO$

   Multiplication de MgO par 2:

      $Mg + O_2 \rightarrow 2 MgO$

   Multiplication de Mg par 2:

      $2 Mg + O_2 \rightarrow 2 MgO$

b) $S_8 + Cl_2 \rightarrow SCl_4$

   Multiplication de SCl_4 par 8:

      $S_8 + Cl_2 \rightarrow 8 SCl_4$

   Multiplication de Cl_2 par 16:

      $S_8 + 16 Cl_2 \rightarrow 8 SCl_4$

c) $H_2 + I_2 \rightarrow HI$

   Multiplication de HI par 2:

      $H_2 + I_2 \rightarrow 2 HI$

d) $CaCO_3 + HBr \rightarrow CaBr_2 + CO_2 + H_2O$

Multiplication de HBr par 2:
$$CaCO_3 + 2\,HBr \rightarrow CaBr_2 + CO_2 + H_2O$$

e) $P_2O_5 + H_2O \rightarrow H_3PO_4$

Multiplication de H_3PO_4 par 2:
$$P_2O_5 + H_2O \rightarrow 2\,H_3PO_4$$
Multiplication de H_2O par 3:
$$P_2O_5 + 3\,H_2O \rightarrow 2\,H_3PO_4$$

f) $Fe_2O_3 + H_2O \rightarrow Fe(OH)_3$

Multiplication de $Fe(OH)_3$ par 2:
$$Fe_2O_3 + H_2O \rightarrow 2\,Fe(OH)_3$$
Multiplication de H_2O par 3:
$$Fe_2O_3 + 3\,H_2O \rightarrow 2\,Fe(OH)_3$$

g) $Mg(OH)_2 + H_3PO_4 \rightarrow Mg_3(PO_4)_2 + H_2O$

Multiplication de H_3PO_4 par 2:
$$Mg(OH)_2 + 2\,H_3PO_4 \rightarrow Mg_3(PO_4)_2 + H_2O$$
Multiplication de $Mg(OH)_2$ par 3:
$$3\,Mg(OH)_2 + 2\,H_3PO_4 \rightarrow Mg_3(PO_4)_2 + H_2O$$
Multiplication de H_2O par 6:
$$3\,Mg(OH)_2 + 2\,H_3PO_4 \rightarrow Mg_3(PO_4)_2 + 6\,H_2O$$

h) $H_2S + Al(OH)_3 \rightarrow Al_2S_3 + H_2O$

Multiplication de $Al(OH)_3$ par 2:
$$H_2S + 2\,Al(OH)_3 \rightarrow Al_2S_3 + H_2O$$
Multiplication de H_2S par 3:
$$3\,H_2S + 2\,Al(OH)_3 \rightarrow Al_2S_3 + H_2O$$
Multiplication de H_2O par 6:
$$3\,H_2S + 2\,Al(OH)_3 \rightarrow Al_2S_3 + 6\,H_2O$$

i) $Cr + HCl \rightarrow CrCl_3 + H_2$

Multiplication de HCl par 3:
$$Cr + 3\,HCl \rightarrow CrCl_3 + H_2$$
Multiplication de H_2 par 3/2:
$$Cr + 3\,HCl \rightarrow CrCl_3 + 3/2\,H_2$$
Multiplication de l'équation par 2:
$$2\,Cr + 6\,HCl \rightarrow 2\,CrCl_3 + 3\,H_2$$

j) $Al + ZnSO_4 \rightarrow Zn + Al_2(SO_4)_3$

Multiplication de Al par 2:
$$2\,Al + ZnSO_4 \rightarrow Zn + Al_2(SO_4)_3$$
Multiplication de $ZnSO_4$ par 3:
$$2\,Al + 3\,ZnSO_4 \rightarrow Zn + Al_2(SO_4)_3$$
Multiplication de Zn par 3:
$$2\,Al + 3\,ZnSO_4 \rightarrow 3\,Zn + Al_2(SO_4)_3$$

Exercice 12

$m(C_xH_y) = 1,00$ g
$m(CO_2) = 3,30$ g
$m(H_2O) = 0,899$ g
Formule empirique de C_xH_y = ?

Équation chimique non équilibrée:

$$C_xH_y + O_2 \rightarrow CO_2 + H_2O$$

Puisque tout le carbone de l'hydrocarbure se retrouve sous forme de CO_2 après la réaction, nous pouvons écrire:

$$C_xH_y + O_2 \rightarrow x\ CO_2 + H_2O$$

De même, puisque l'hydrogène de l'hydrocarbure se retrouve sous forme de H_2O après la réaction, nous obtenons:

$$C_xH_y + O_2 \rightarrow x\ CO_2 + y/2\ H_2O$$

Le facteur 1/2 tient compte des deux atomes d'hydrogène dans la molécule d'eau.

L'équation chimique équilibrée est donc la suivante:

$$C_xH_y + (x + y/4)\ O_2 \rightarrow x\ CO_2 + y/2\ H_2O$$

$n(C) = n(CO_2) = m(CO_2)\ /\ M(CO_2)$
$n(C) = 3,30$ g $/\ 44,010$ g/mol $= 0,0750$ mole

$n(H) = 2\ n(H_2O) = 2\ m(H_2O)\ /\ M(H_2O)$
$n(H) = 2 \times 0,899$ g $/\ 18,0152$ g/mol $= 0,100$ mol

Puisque x atomes de carbone conduisent à la formation de x molécules de dioxyde de carbone, il y a 0,0750 atomes de carbone dans la formule du composé. De même, puisque y atomes d'hydrogène conduisent à la formation de y/2 molécules d'eau, il y a donc 0,100 atome d'hydrogène dans le composé; d'où $C_{0,0750}H_{0,100}$.

En divisant chaque indice par 0,0750, on obtient la formule $C_1H_{1,33}$. En multipliant par 3 pour obtenir des nombres entiers, la formule empirique devient C_3H_4.

Exercice 13

$p(N_2)_{initiale} = 101,3$ kPa
$p(H_2)_{initiale} = 101,3$ kPa
$p(NH_3)_{obtenue} = 52,5$ kPa
Rendement = ?

Équation chimique équilibrée:

	$N_{2(g)}$	+	$3\ H_{2(g)}$	$\rightleftharpoons$	$2\ NH_{3(g)}$
proportion de pressions:	1		3		2
pressions initiales:	101,3		101,3		0
changement de pression	$-101,3 \times 1/3$		$-101,3$		$+ 101,3 \times 2/3$

pressures après réaction: 67,53   0   67,53

Rendement = (quantité obtenue / quantité théorique)× 100
Rendement = (52,5 kPa / 67,53 kPa) × 100 = 77,7%

Exercice 14

$m(Ca)_{initiale} = 1,30$ g
$m(F_2)_{initiale} = 1,15$ g
$m(CaF_2) = ?$

Équation chimique équilibrée:

	$Ca_{(s)}$	+	$F_{2(g)}$	$\rightarrow$	$CaF_{2(s)}$
rapport de moles:	1		1		1
nbre de mole initial:	0,0324		0,0303		0
changement de nombre de mole:	-0,0303		-0,0303		+ 0,0303
nbre de mole après réaction:	0,0021		0		0,0303

$m(CaF_2) = n(CaF_2) \times M(CaF_2)$
$m(CaF_2) = 0,0303$ mol $\times 78,08$ g/mol $= 2,37$ g

Exercice 15

$T(CO_2) = 25,0°C$
$p(CO_2) = 100$ kPa
$m(C_4H_{10}) = 5,00$ g
$V(CO_2) = ?$

Équation chimique équilibrée:

$$2\ C_4H_{10(g)} + 13\ O_{2(g)} \rightarrow 8\ CO_{2(g)} + 10\ H_2O_{(g)}$$

rapport de mole:	2	8
rapport de masse:	116,246 g	352,078 g
	5,00 g	$m(CO_2)$

$m(CO_2) = (5,00$ g $\times 352,078$ g$) / 116,246$ g $= 15,1$ g
$V(CO_2) = m(CO_2)$ RT $/ [M(CO_2)\ p(CO_2)]$
$V(CO_2) = 15,2$ g $\times (8,31$ kPa-L/K-mol$) \times 298,0$ K$/(44,010$ g/mol $\times 100$ kPa$)$
$V(CO_2) = 8,55$ L

Exercice 16

$m(Al) = 5,00$ g
$V(Cl_2) = 250$ cm³
$T = 25,0°C$

$p(Cl_2) = 110$ kPa
m(produit) = ?

n(Al) = 5,00 g / (26,9815 g /mol) = 0,185 mol
$n(Cl_2) = p(Cl_2) \ V(Cl_2) / RT$
$n(Cl_2) = (110 \text{ kPa} \times 0,250 \text{ L}) / (8,31 \text{ kPa-L/K-mol} \times 298,1 \text{K})$
$n(Cl_2) = 0,0111$ mole

Équation chimique équilibrée:

	$2 \ Al_{(s)}$	+	$3 \ Cl_{2(g)} \rightarrow$	$2 \ AlCl_{3(s)}$
rapport de moles:	2		3	2
nbre de mole initial:	0,185		0,0111	0
changement de mole:	$-0,0111 \times 2/3$		-0,0111	$+0,0111 \times 2/3$
nbre de mole après réaction:	0,178		0	0,00740

$m(AlCl_3) = n(AlCl_3) \times M(AlCl_3)$
$m(AlCl_3) = 0,00740$ mol $\times 133,340$ g/mol = 0,987 g

Exercice 17

V = 100 L
$n(N_2) = 300$ moles
$n(H_2) = 600$ moles
T = 427°C
$p(H_2) = ?$
$p(N_2) = ?$
$p(NH_3) = ?$

$n(H_2)$ qui a réagi = 600 mol $\times$ 20/100 = 120 mol

Équation chimique équilibrée:

	$N_{2(g)}$	+	$3 \ H_{2(g)} \rightleftharpoons$	$2 \ NH_{3(g)}$
nbre de moles initial:	300		600	0
changement de moles:	-40		-120	+80
nbre de moles après réaction:	260		480	80

$p(N_2) = n(N_2) \ RT / V$
$p(N_2) = (260 \text{ mol} \times 8,31 \text{ kPa-L/K-mol} \times 700 \text{ K}) / 100 \text{ L}$
$p(N_2) = 1,51 \times 10^4$ kPa

$p(H_2) = n(H_2) \ RT / V$
$p(H_2) = (480 \text{ mol} \times 8,31 \text{ kPa-L/K-mol} \times 700 \text{ K}) / 100 \text{ L}$
$p(H_2) = 2,79 \times 10^4$ kPa

$p(NH_3) = n(NH_3) \ RT / V$
$p(NH_3) = (80 \text{ mol} \times 8,31 \text{ kPa-L/K-mol} \times 700 \text{ K}) / 100 \text{ L}$
$p(NH_3) = 4,65 \times 10^3$ kPa

Exercice 18

$V(O_2) = 637$ cm³

$T = 0,00°C$
$p(O_2) = 101,3$ kPa
$m(KClO_3) = ?$
$m(KCl) = ?$

$n(O_2) = p(O_2) \, V(O_2) / RT$
$n(O_2) = (101,3 \text{ kPa} \times 0,637 \text{ L}) / (8,31 \text{ kPa-L/K-mol} \times 273,15 \text{ K})$
$n(O_2) = 2,84 \times 10^{-2}$ mol

Équation équilibrée:
$$2 \, KClO_{3(s)} \rightarrow 2 \, KCl_{(s)} + 3 \, O_{2(g)}$$

D'après l'équation équilibrée,
$n(KClO_3) = n(O_2) \times 2/3 = 2,84 \times 10^{-2} \text{ mol} \times 2/3 = 1,89 \times 10^{-2}$ mol
$m(KClO_3) = n(KClO_3) \times M(KClO_3)$
$m(KClO_3) = 1,89 \times 10^{-2} \text{ mol} \times 122,549 \text{ g/mol} = 2,32$ g

$n(KCl) = n(KClO_3) = 1,89 \times 10^{-2}$ mol
$m(KCl) = n(KCl) \times M(KCl)$
$m(KCl) = 1,89 \times 10^{-2} \text{ mol} \times 74,551 \text{ g/mol} = 1,41$ g

Exercice 19

$m(Al) = 2,53$ g
$c(HCl_{(aq)}) = 0,800$ mol/L
$V(HCl_{(aq)}) = ?$
$T = 23,0°C$
$V(H_2) = 1,00$ L
$p(H_2) = ?$

$n(Al) = m(Al) / M(Al)$
$n(Al) = 2,53 \text{ g} / (26,9815 \text{ g/mol}) = 9,38 \times 10^{-2}$ mol

Équation équilibrée:
$$2 \, Al_{(s)} + 6 \, HCl_{(aq)} \rightarrow 2 \, AlCl_{3(aq)} + 3 \, H_{2(g)}$$

proportion de moles: 2 6 2 3
   0.0938   n(HCl)   n(H_2)

$n(HCl_{(aq)}) = 0,0938 \text{ mol} \times 6/2 = 0,281$ mol
$V(HCl_{(aq)}) = n(HCl_{(aq)}) / c(HCl_{(aq)})$
$V(HCl_{(aq)}) = 0,281 \text{ mol} / (0,800 \text{ mol/L}) = 0,351$ L ou 351 cm³

$n(H_2) = 0,0938 \text{ mol} \times 3/2 = 0,141$ mol
$p(H_2) = n(H_2) \, RT / V(H_2)$
$p(H_2) = 0,141 \text{ mol} \times (8,31 \text{ L-kPa/mol-K}) \times 296,0 \text{ K} / 1,00 \text{ L}$
$p(H_2) = 347$ kPa

Exercice 20

m(roche) = 10,0 g
% (CaO) = 25 %
$V(H_3PO_{4(aq)})$ = 100,0 mL
$c(H_3PO_{4(aq)})$ = 3,00 mol/L
$m[Ca_3(PO_4)_2]$ = ?

m(CaO) = 10,0 g × 25/100 = 2,50 g
n(CaO) = m(CaO) / M(CaO)
n(CaO) = 2,50 g / (56,08 g/mol) = 0,0446 mol
$n(H_3PO_4)$ = $c(H_3PO_{4(aq)})$ × $V(H_3PO_{4(aq)})$
$n(H_3PO_4)$ = (3,00 mol/L) × 0,1000 L = 0,300 mol

Équation équilibrée:
$$3\ CaO_{(s)} + 2\ H_3PO_{4(aq)} \rightarrow Ca_3(PO_4)_{2(s)} + 3\ H_2O_{(l)}$$

proportion de moles:	3	2	1	3
nbre de mole initial:	0,0446	0,300	0	
changement de mole:	-0,0446	-0,0297	+0,0149	
nbre de mole après réaction:	0	0,270	0,0149	

$m[Ca_3(PO_4)_2]$ = $n[Ca_3(PO_4)_2]$ × $M[Ca_3(PO_4)_2]$
$m[Ca_3(PO_4)_2]$ = 0,0149 mol × 310,18 g/mol = 4,62 g

Exercice 21

m(Al) + m(Zn) = 1,67 g
$V(H_2)$ = 1,69 L
T = 25,0°C
p = 101,3 kPa
m(Al) = ?

Équations chimiques équilibrées:

$$(1) \quad 2\ Al_{(s)} + 6\ HCl_{(aq)} \rightarrow 2\ AlCl_{3(aq)} + 3\ H_{2(g)}$$
$$(2) \quad Zn_{(s)} + 2\ HCl_{(aq)} \rightarrow ZnCl_{2(aq)} + H_{2(g)}$$

$n(H_2)_{(total)}$ = $pV(H_2)$ / RT
$n(H_2)_{(total)}$ = (101,3 kPa × 1,69 L) / (8,31 kPa-L/K-mol × 298,0 K)
$n(H_2)_{(total)}$ = 6,91 × 10^{-2} mole

$n(H_2)_{(total)}$ = $n(H_2)_{(1)}$ + $n(H_2)_{(2)}$ = 6,91 × 10^{-2} mole
$n(H_2)_{(1)}$ = n(Al) × 3/2
$n(H_2)_{(2)}$ = n(Zn)

D'où: $6,91 \times 10^{-2}$ mole $= 1,5$ n(Al) $+$ n(Zn)

$\qquad 6,91 \times 10^{-2}$ mole $= [1,5$ m(Al) $/$ M(Al)$] + [$m(Zn) $/$ M(Zn)$]$

$\qquad 6,91 \times 10^{-2}$ mole $= 5,56 \times 10^{-2}$ m(Al) $+ 1,53 \times 10^{-2}$ m(Zn)

D'après la donnée du problème:

$\qquad$ m(Zn) $= 1,67$ g $-$ m(Al)

En remplaçant, on obtient:

$6,91 \times 10^{-2}$ mole $= 5,56 \times 10^{-2}$ m(Al)$+1,53 \times 10^{-2} [(1,67$ g $-$ m(Al)$]$

$4,35 \times 10^{-2} = 4,03 \times 10^{-2}$ m(Al)

m(Al) $= 1,08$ g

RÉACTIONS CHIMIQUES

RÉPONSES AUX QUESTIONS

Question 4.1

a) $CuCl_{2(s)} \xrightarrow{H_2O} Cu^{2+}_{(aq)} + 2 Cl^-_{(aq)}$

   $CuCl_2$ est un sel soluble, aussi $Cu^{2+}_{(aq)}$ et $Cl^-_{(aq)}$ sont les espèces prédominantes.

b) $Ca_3(PO_4)_{2(s)} \underset{\rightleftharpoons}{\xrightarrow{H_2O}} 3 Ca^{2+}_{(aq)} + 2 PO_4^{3-}_{(aq)}$

   Ce sel est peu soluble et, par conséquent, la forme $Ca_3(PO_4)_{2(s)}$ est prédominante.

Question 4.2

a) $Ba(OH)_{2(s)} \xrightarrow{H_2O} Ba^{2+}_{(aq)} + 2 OH^-_{(aq)}$

   Hydroxyde soluble: les ions $Ba^{2+}_{(aq)}$ et $OH^-_{(aq)}$ sont les espèces prédominantes.

b) $KOH_{(s)} \xrightarrow{H_2O} K^+_{(aq)} + OH^-_{(aq)}$

   Hydroxyde soluble: les ions $K^+_{(aq)}$ et $OH^-_{(aq)}$ sont les espèces prédominantes.

c) $Fe(OH)_{3(s)} \underset{\rightleftharpoons}{\xrightarrow{H_2O}} Fe^{3+}_{(aq)} + 3 OH^-_{(aq)}$

   Hydroxyde peu soluble: $Fe(OH)_{3(s)}$ est donc l'espèce prédominante.

Question 4.3

a) $HNO_{3(aq)} \rightarrow H^+_{(aq)} + NO_{3\ (aq)}$

   oxacide fort

b) $HF_{(aq)} \rightleftharpoons H^+_{(aq)} + F^-_{(aq)}$

   hydracide faible

c) $HClO_{(aq)} \rightleftharpoons H^+_{(aq)} + ClO^-_{(aq)}$

   oxacide faible

d) $HI_{(aq)} \rightarrow H^+_{(aq)} + I^-_{(aq)}$

   hydracide fort

Question 4.4

a) $K_2O_{(s)} + H_2O_{(l)} \rightarrow 2\ KOH_{(aq)} \rightarrow 2\ K^+_{(aq)} + 2\ OH^-_{(aq)}$

b) $SrO_{(s)} + H_2O_{(l)} \rightleftharpoons Sr(OH)_{2(aq)} \rightarrow Sr^{2+}_{(aq)} + 2\ OH^-_{(aq)}$

Question 4.5

L'équation de la réaction s'écrit sous forme ionique:

$$K^+_{(aq)} + MnO_4^-_{(aq)} + 5\ Fe^{2+}_{(aq)} + 10\ Cl^-_{(aq)} + 8\ H^+_{(aq)} + 8\ Cl^-_{(aq)}$$
$$\rightarrow Mn^{2+}_{(aq)} + 2\ Cl^-_{(aq)} + 5\ Fe^{3+}_{(aq)} + 15\ Cl^-_{(aq)} + 4\ H_2O_{(l)} + K^+_{(aq)} + Cl^-_{(aq)}$$

et sous forme ionique nette, après avoir simplifié les espèces apparaissant de chaque côté:

$$MnO_4^-_{(aq)} + 5\ Fe^{2+}_{(aq)} + 8\ H^+_{(aq)} \rightarrow Mn^{2+}_{(aq)} + 5\ Fe^{3+}_{(aq)} + 4\ H_2O_{(l)}$$

Question 4.6

a) L'ion Cu^{2+} est fourni par un sel cuivrique soluble, par exemple $Cu(NO_3)_2$, $CuCl_2$, $CuBr_2$, CuI_2 ou $CuSO_4$, et l'ion OH^- par un hydroxyde de métal soluble, par exemple NaOH, LiOH, KOH.

b) L'ion Ca^{2+} provient d'un sel de calcium soluble, par exemple $Ca(NO_3)_2$, $CaCl_2$ ou CaS, et l'ion carbonate, CO_3^{2-}, d'un carbonate soluble, par exemple Na_2CO_3, Li_2CO_3, K_2CO_3 ou $(NH_4)_2CO_3$.

Question 4.7

a) Identifier les ions des réactifs:

   $Pb(NO_3)_2$: Pb^{2+} et NO_3^-

   KBr: K^+ et Br^-

b) Intervertir les cations des réactifs:

   $Pb(NO_3)_{2(aq)} + 2\ KBr_{(aq)} \rightarrow PbBr_{2(s)} + 2\ KNO_{3(aq)}$

   où $PbBr_2$ est peu soluble et KNO_3 soluble.

c) Sous forme ionique, la précédente équation devient:

   $Pb^{2+}_{(aq)} + 2\ NO_3^-_{(aq)} + 2\ K^+_{(aq)} + 2Br^-_{(aq)} \rightarrow PbBr_{2(s)} + 2K^+_{(aq)} + 2NO_3^-_{(aq)}$

   et, en simplifiant les espèces apparaissant de chaque côté de la flèche, on obtient l'équation ionique nette:

   $Pb^{2+}_{(aq)} + 2\ Br^-_{(aq)} \rightarrow PbBr_{2(s)}$

Question 4.8

Identification des ions:

   $Ca(NO_3)_2$: Ca^{2+} et NO_3^-

Il faudra faire réagir l'acide correspondant à l'anion NO_3^-, soit HNO_3, avec l'hydroxyde (basique) correspondant au cation Ca^{2+}, soit $Ca(OH)_2$.

L'équation moléculaire est donc:

$$2\ HNO_{3(aq)} + Ca(OH)_{2(s)} \rightarrow Ca(NO_3)_{2(aq)} + 2\ H_2O_{(l)}$$

**Exemples résolus
et
solutions de certains exercices
du volume**

Exemple 3.4:

Comme l'aluminium doit être complètement transformé, ce dernier doit réagir complètement et agit alors comme réactif limitant. La quantité minimale de brome à employer est de la même proportion en moles que celle exprimée dans l'équation chimique équilibrée.

$$n°_{Al} = m_{Al} / M_{Al} = 3,514 \text{ g} / 26,98154 \text{ g/mol} \approx 0,1302 \text{ mol}$$

	2 Al$_{(s)}$	+	3 Br$_{2(g)}$	------>	2 AlBr$_{3(s)}$
i	0,1302		n°$_{Br2}$		0
r	- 0,1302		- 3/2 (0,1302)		+ 0,1302
e	0		0		+ 0,1302

$$n°_{Br2} = 3/2 \ (0,1302) = 0,195 \text{ mol}$$
$$m_{Br2} = n°_{Br2} \ M_{Br2} = 0,195 \text{ mol} \times 159,8089 \text{ g/mol} = 31,2 \text{ g}$$
$$V_{Br2} = m_{Br2} / \rho_{Br2} = 31,2 \text{ g} / 3,119 \text{ g/mL} = 9,99 \text{ mL}$$

Exemple 3.7

$$n°_{Fe} = m_{Fe} / M_{Fe} = 3,63 \times 10^5 \text{ g} / 159,694 \text{ g/mol} = 2,27 \times 10^3 \text{ mol}$$
$$n°_C = \text{excès}$$

	Fe$_2$O$_{3(s)}$	+	3 C$_{(s)}$	------>	2 Fe$_{(s)}$	+	3 CO$_{(g)}$
i	2,27 x 10^3		excès		0		0
r	- 2,27 x 10^3		- 3 (2,27 x 10^3)		+ 2 (2,27 x 10^3)		+ 3 (2,27 x 10^3)
e	0		excès		4,54 x 10^3		6,81 x 10^3

$$m_{Fe} = 4,54 \times 10^3 \text{ mol} \times 55,847 \text{ g/mol} = 2,54 \times 10^5 \text{ g ou } 0,254 \text{ tonne de fer.}$$

Exercice 15

$$n°_{C4H10} = 5,00 \text{ g} / 58,123 \text{ g/mol} = 0,0860 \text{ mol}$$
$$n°_{O2} = \text{excès, puisque la combustion se fait à l'air libre.}$$

	2 C$_4$H$_{10(g)}$	+	13 O$_{2(g)}$	------>	8 CO$_{2(g)}$	+	10 H$_2$O$_{(l)}$
i	0,0860		excès		0		0
r	- 0,0860		- 13/2 (0,0860)		+ 8/2 (0,0860)		+ 10/2 (0,0860)
e	0		excès		0,344		0,430

$$V_{CO2} = nRT / P = (0,344 \text{ mol} \times 8,31 \text{ kPa-L/K-mol} \times 298,1K) / 100 \text{ kPa} = 8,52 \text{ L}$$

Exercice 18

$$n_{O2 \text{ produit}} = PV / RT$$
$$= (101,3 \text{ kPa} \times 0,637 \text{ L}) / (8,31 \text{ kPa-L/K-mol} \times 273,1 \text{ K}) = 0,0284 \text{ L}$$

	2 KClO$_{3(s)}$	------>	2 KCl$_{(s)}$	+	3 O$_{2(g)}$
i	n°$_{KClO3}$		0		0
r	- n°$_{KClO3}$		+ n°$_{KClO3}$		+ 3/2 n°$_{KClO3}$
e	0		n°$_{KClO3}$		3/2 n°$_{KClO3}$

$$n_{O2 \text{ produit}} = 3/2 \ n°_{KClO3}$$
$$n°_{KClO3} = 2/3 \ n_{O2 \text{ produit}} = 2/3 \times 0,0284 \text{ mol} = 0,0189 \text{ mol}$$
$$m°_{KClO3} = 0,0189 \text{ mol} \times 122,54 \text{ g/mol} = 2,32 \text{ g}$$

$$n_{KCl \text{ produit}} = 0,0189 \text{ mol}$$
$$m_{KCl \text{ produit}} = 0,0189 \text{ mol} \times 74,551 \text{ g/mol} = 1,41 \text{ g}$$

Exercice 19

$$n°_{Al} = 2,53 \text{ g} / 26,9815 \text{ g/mol} = 9,38 \times 10^{-2} \text{ mol}$$

La quantité minimale d'acide chlorhydrique pour dissoudre tout l'aluminium est de la même proportion en mole que celle exprimée par l'équation chimique équilibrée:

	2 Al$_{(s)}$	+	6 HCl$_{(aq)}$	------>	2 AlCl$_{3(aq)}$	+	3 H$_{2(g)}$
i	9,38 x 10^{-2}		n°$_{HCl}$		0		0
r	- 9,38 x 10^{-2}		- 6/2 (9,38 x 10^{-2})		+ 9,38 x 10^{-2}		+ 3/2 (9,38 x 10^{-2})
e	0		0		9,38 x 10^{-2}		0,141

$$n°_{HCl} = 6/2 \ (9,38 \times 10^{-2}) = 0,281 \text{ mol}$$
$$V_{solution} = n°_{HCl} / C_{HCl} = 0,281 \text{ mol} / 0,800 \text{ mol/L} = 0,351 \text{ L ou } 351 \text{ mL}$$
$$P_{H2} = nRT / V = (0,141 \text{ mol} \times 8,31 \text{ kPa-L/K-mol} \times 296,1K) / 1,00 \text{ L} = 347 \text{ kPa}$$

Question 4.9

a) Identifier les ions:

$$Fe(OH)_3 : Fe^{3+} \text{ et } OH^-$$
$$HClO_4: H^+ \text{ et } ClO_4^-$$

Intervertir les cations des réactifs, Fe^{3+} et H^+:

$$Fe(OH)_{3(s)} + 3\ HClO_{4(aq)} \rightarrow Fe(ClO_4)_{3(aq)} + 3\ H_2O_{(l)}$$

Sous forme ionique nette:

$$Fe(OH)_{3(s)} + 3\ H^+{}_{(aq)} \rightarrow Fe^{3+}{}_{(aq)} + 3\ H_2O_{(l)}$$

b) Identifier les ions:

$$Al_2O_3: Al^{3+} \text{ et } O^{2-}$$
$$HBr: H^+ \text{ et } Br^-$$

Intervertir les cations des réactifs, Al^{3+} et H^+:

$$Al_2O_{3(s)} + 6\ HBr_{(aq)} \rightarrow 2\ AlBr_{3(aq)} + 3\ H_2O_{(l)}$$

Sous forme ionique nette, cette dernière équation s'écrit:

$$Al_2O_{3(s)} + 6\ H^+{}_{(aq)} \rightarrow 2\ Al^{3+}{}_{(aq)} + 3\ H_2O_{(l)}$$

Question 4.10

Le dioxyde de carbone est dégagé lors de la synthèse de l'acide carbonique, H_2CO_3. Ce dernier est facilement fabriqué par réaction de substitution entre un sel contenant l'ion carbonate, CO_3^{2-}, et un acide. Par exemple, par réaction entre le carbonate de sodium et l'acide chlorhydrique selon l'équation:

$$Na_2CO_{3(aq)} + 2\ HCl_{(aq)} \rightarrow H_2CO_{3(aq)} + 2\ NaCl_{(aq)}$$

et

$$H_2CO_{3(aq)} \rightarrow CO_{2(g)} + H_2O_{(l)}$$

D'où l'équation de la réaction globale:

$$Na_2CO_{3(aq)} + 2\ HCl_{(aq)} \rightarrow CO_{2(g)} + 2\ NaCl_{(aq)} + H_2O_{(l)}$$

Question 4.11

Les degrés d'oxydation de l'hydrogène sont respectivement de 0 dans H_2 et de +1 dans HCl; ceux du chlore, de 0 dans Cl_2 et de -1 dans HCl.

H_2 est le réducteur et Cl_2, l'oxydant.

$$\text{Oxydation: } H_{2(g)} \rightarrow 2\ H^+ + 2\ e^-$$
$$\text{Réduction: } Cl_{2(g)} + 2\ e^- \rightarrow 2\ Cl^-$$

Question 4.12

a) Élément le moins électronégatif: Cu
   Élément le plus électronégatif: S

b) Degrés d'oxydation positifs de Cu: +1 et +2.
   Degré d'oxydation négatif de S: -2.

c) Équations des demi-réactions:

$$Cu \rightarrow Cu^+ + 1 e^-$$
$$Cu \rightarrow Cu^{2+} + 2 e^-$$
$$S_8 + 16 e^- \rightarrow 8 S^{2-}$$

d) Équations moléculaires équilibrées:

$$16 Cu_{(s)} + S_{8(s)} \rightarrow 8 Cu_2S_{(s)} \quad \text{s'il y a excès de cuivre,}$$
$$8 Cu_{(s)} + S_{8(s)} \rightarrow 8 CuS_{(s)} \quad \text{s'il y a excès de soufre.}$$

Question 4.13

1. Réaction du magnésium avec l'acide chlorhydrique en solution aqueuse

a) Réactifs:

$Mg_{(s)}$, $H^+_{(aq)}$, $Cl^-_{(g)}$, H_2O, milieu acide, conditions standard.

b) Demi-réactions possibles:

$Mg_{(s)} \rightarrow Mg^{2+}_{(aq)} + 2 e^-$	$\varepsilon_o^\circ = +2,37$ V
$2 H^+_{(aq)} + 2 e^- \rightarrow H_{2(g)}$	$\varepsilon_r^\circ = 0,00$ V
$2 Cl^-_{(aq)} \rightarrow Cl_{2(g)} + 2 e^-$	$\varepsilon_o^\circ = -1,36$ V
$Cl^-_{(aq)} + 4 H_2O_{(l)} \rightarrow ClO_4^-_{(aq)} + 8 H^+_{(aq)} + 8 e^-$	$\varepsilon_o^\circ = -1,39$ V
$Cl^-_{(aq)} + 3 H_2O_{(l)} \rightarrow ClO_3^-_{(aq)} + 6 H^+_{(aq)} + 6 e^-$	$\varepsilon_o^\circ = -1,45$ V
$Cl^-_{(aq)} + H_2O_{(l)} \rightarrow HClO_{(aq)} + H^+_{(aq)} + 2 e^-$	$\varepsilon_o^\circ = -1,49$ V
$Cl^-_{(aq)} + 2 H_2O_{(l)} \rightarrow HClO_{2(aq)} + 3 H^+_{(aq)} + 4 e^-$	$\varepsilon_o^\circ = -1,57$ V
$2 H_2O_{(l)} \rightarrow O_{2(g)} + 4 H^+_{(aq)} + 4 e^-$	$\varepsilon_o^\circ = -1,23$ V

c) Le meilleur réducteur, Mg, réagit avec l'oxydant, H^+; l'équation de la réaction globale est la suivante:

$$Mg_{(s)} + 2 H^+_{(aq)} \rightarrow Mg^{2+}_{(aq)} + H_{2(g)} \qquad E^\circ = 2,37 \text{ V}$$

2. Réaction de l'argent avec l'acide chlorhydrique en solution aqueuse

a) Réactifs:

$Ag_{(s)}$, $H^+_{(aq)}$, $Cl^-_{(aq)}$, H_2O, milieu acide, conditions standard.

b) Demi-réactions possibles:

$Ag_{(s)} \rightarrow Ag^+_{(aq)} + e^-$	$\varepsilon_o^\circ = -0,80$ V
$2 H^+_{(aq)} + 2 e^- \rightarrow H_{2(g)}$	$\varepsilon_r^\circ = 0,00$ V
$2 Cl^-_{(aq)} \rightarrow Cl_{2(g)} + 2 e^-$	$\varepsilon_o^\circ = -1,36$ V
$Cl^-_{(aq)} + 4 H_2O_{(l)} \rightarrow ClO_4^-_{(aq)} + 8 H^+_{(aq)} + 8 e^-$	$\varepsilon_o^\circ = -1,39$ V
$Cl^-_{(aq)} + 3 H_2O_{(l)} \rightarrow ClO_3^-_{(aq)} + 6 H^+_{(aq)} + 6 e^-$	$\varepsilon_o^\circ = -1,45$ V
$Cl^-_{(aq)} + H_2O_{(l)} \rightarrow HClO_{(aq)} + H^+_{(aq)} + 2 e^-$	$\varepsilon_o^\circ = -1,49$ V
$Cl^-_{(aq)} + 2 H_2O_{(l)} \rightarrow HClO_{2(aq)} + 3 H^+_{(aq)} + 4 e^-$	$\varepsilon_o^\circ = -1,57$ V
$2 H_2O_{(l)} \rightarrow O_{2(g)} + 4 H^+_{(aq)} + 4 e^-$	$\varepsilon_o^\circ = -1,23$ V

c) Il n'y a pas de réaction spontanée puisque la combinaison du meilleur réducteur, Ag, avec l'oxydant, H^+, donne un potentiel global inférieur à zéro, soit $E^o = -0,80$ V.

Question 4.14

a) Réactifs:

$Au_{(s)}$, $H^+_{(aq)}$, $NO_3^-_{(aq)}$, H_2O, milieu acide, conditions standard

b) Demi-réactions possibles:

$$Au_{(s)} \rightarrow Au^{3+}_{(aq)} + 3\ e^- \qquad\qquad \varepsilon_o^o = -1,50\ V$$
$$2\ H^+_{(aq)} + 2\ e^- \rightarrow H_{2(g)} \qquad\qquad \varepsilon_r^o = 0,00\ V$$
$$NO_3^-_{(aq)} + 4\ H^+_{(aq)} + 3\ e^- \rightarrow NO_{(g)} + 2\ H_2O_{(l)} \qquad\qquad \varepsilon_r^o = 0,96\ V$$
$$2\ H_2O_{(l)} \rightarrow O_{2(g)} + 4\ H^+_{(aq)} + 4\ e^- \qquad\qquad \varepsilon_o^o = -1,23\ V$$

c) Il n'y a pas de réaction spontanée, puisque le potentiel global résultant du meilleur réducteur, H_2O et de l'oxydant le plus fort, NO_3^-, est inférieur à zéro, soit $-0,27$ V.

Question 4.15

a) Réactifs:

$Ni_{(s)}$, H_2O, milieu neutre

b) Demi-réactions possibles:

$$Ni_{(s)} \rightarrow Ni^{2+}_{(aq)} + 2\ e^- \qquad\qquad \varepsilon_o^o = 0,25\ V$$
$$2\ H_2O_{(l)} \rightarrow O_{2(g)} + 4\ H^+_{(aq)} + 4\ e^- \qquad\qquad \varepsilon_o = -0,81\ V$$
$$2\ H_2O_{(l)} + 2\ e^- \rightarrow H_{2(g)} + 2\ OH^-_{(aq)} \qquad\qquad \varepsilon_r = -0,41\ V$$

c) Il n'y a pas de réaction spontanée, puisque le potentiel global résultant du meilleur réducteur, Ni, et de l'oxydant, H_2O, est inférieur à zéro, soit $-0,16$ V.

Question 4.16

a) Réactifs:

$Mg_{(s)}$, $Ni^{2+}_{(aq)}$, $Cl^-_{(aq)}$, $H_2O_{(l)}$, milieu neutre

b) Demi-réactions de la réaction de déplacement:

$$Mg_{(s)} \rightarrow Mg^{2+}_{(aq)} + 2\ e^- \qquad\qquad \varepsilon_o^o = 2,37\ V$$
$$Ni^{2+}_{(aq)} + 2\ e^- \rightarrow Ni_{(s)} \qquad\qquad \varepsilon_r^o = -0,25\ V$$

c) Équation globale de la réaction:

$$Mg_{(s)} + Ni^{2+}_{(aq)} \rightarrow Mg^{2+}_{(aq)} + Ni_{(s)} \qquad\qquad E^o = 2,12\ V$$

Sous forme moléculaire:

$$Mg_{(s)} + NiCl_{2(aq)} \rightarrow MgCl_{2(aq)} + Ni_{(s)} \qquad\qquad E^o = 2,12\ V$$

EXERCICES RÉSOLUS

Exercice 1

a) Oxydoréduction: l'aluminium donne des électrons au chlore:

$$Al_{(s)} \rightarrow Al^{3+} + 3 e^-$$
$$Cl_{2(g)} + 2 e^- \rightarrow 2 Cl^-$$

Addition: plusieurs réactifs, Al et Cl_2, s'unissent pour former un seul produit, $AlCl_3$.

b) Substitution: chez les produits, le cation H^+ de HF a été remplacé par le cation de même signe K^+.

Acido-basique: il y a formation d'eau à partir des ions $H^+_{(aq)}$ et $OH^-_{(aq)}$.

c) Substitution: chez les produits, le cation Ba^{2+} a été remplacé par le cation de même signe Na^+.

Précipitation: le produit $BaSO_4$ est peu soluble et se retrouve donc sous forme solide.

d) Oxydoréduction: le zinc donne des électrons au magnésium:

$$Zn_{(s)} \rightarrow Zn^{2+} + 2 e^-$$
$$Mg^{2+} + 2 e^- \rightarrow Mg_{(s)}$$

Déplacement: les électrons ont été transférés d'un métal à un ion métallique.

e) Oxydoréduction: le carbone donne des électrons à l'oxygène:

$$C_{(s)} \rightarrow C^{4+} + 4 e^-$$
$$O_{2(g)} + 4 e^- \rightarrow 2 O^{2-}$$

Addition: Plusieurs réactifs, C et O_2, s'unissent pour former un seul produit CO_2.

f) Oxydoréduction: grâce à la chaleur fournie, l'oxygène donne des électrons au chlore:

$$2 O^{2-} \rightarrow O_{2(g)} + 4 e^-$$
$$Cl^{5+} + 6 e^- \rightarrow Cl^-$$

Décomposition: le réactif, $KClO_3$, se décompose pour former deux produits, KCl et O_2.

Exercice 2

a) SrO, oxyde peu soluble:

$$SrO_{(s)} + H_2O_{(l)} \rightleftharpoons Sr(OH)_{2(aq)} \rightarrow Sr^{2+}_{(aq)} + 2 OH^-_{(aq)}$$

Forme prédominante: SrO

b) AgCl, sel peu soluble:

$$AgCl_{(s)} \overset{H_2O}{\rightleftharpoons} Ag^+_{(aq)} + Cl^-_{(aq)}$$

Forme prédominante: AgCl

c) $Fe(OH)_3$, hydroxyde peu soluble:
$$Fe(OH)_{3(s)} \overset{H_2O}{\rightleftharpoons} Fe^{3+}_{(aq)} + 3\ OH^-_{(aq)}$$
Forme prédominante: $Fe(OH)_3$

d) $K_2O_{(s)}$, oxyde métallique soluble par réaction avec l'eau:
$$K_2O_{(s)} + H_2O_{(l)} \rightarrow 2\ KOH_{(aq)} \rightarrow 2\ K^+_{(aq)} + 2\ OH^-_{(aq)}$$
L'hydroxyde formé, KOH, étant soluble, les formes prédominantes sont les ions $K^+_{(aq)}$ et $OH^-_{(aq)}$.

e) CO_2, oxyde non métallique peu soluble:
$$CO_{2(g)} + H_2O_{(l)} \rightleftharpoons H_2CO_{3(aq)} \rightleftharpoons 2\ H^+_{(aq)} + CO_3^{2-}_{(aq)}$$
La molécule CO_2 en solution dans l'eau est la forme prédominante.

f) HBr, un acide fort:
$$HBr_{(aq)} \rightarrow H^+_{(aq)} + Br^-_{(aq)}$$
Les formes prédominantes sont les ions formés, $H^+_{(aq)}$ et $Br^-_{(aq)}$.

g) LiOH, un hydroxyde soluble:
$$LiOH_{(s)} \overset{H_2O}{\rightarrow} Li^+_{(aq)} + OH^-_{(aq)}$$
Les formes prédominantes sont les ions formés, $Li^+_{(aq)}$ et $OH^-_{(aq)}$.

h) HNO_2, un acide faible:
$$HNO_{2(aq),} \rightleftharpoons H^+_{(aq)} + NO_2^-_{(aq)}$$
La forme prédominante est la molécule HNO_2.

i) NH_3, base faible soluble:
$$NH_{3(aq)} + H_2O_{(l)} \rightleftharpoons NH_4^+_{(aq)} + OH^-_{(aq)}$$
La molécule NH_3 est la forme prédominante dans l'eau.

j) $Ba(NO_3)_2$, sel soluble:
$$Ba(NO_3)_{2(s)} \overset{H_2O}{\rightarrow} Ba^{2+}_{(aq)} + 2\ NO_3^-_{(aq)}$$
Les formes prédominantes sont les ions $Ba^{2+}_{(aq)}$ et $NO_3^-_{(aq)}$.

Exercice 3

a) Équation ionique:
$$K^+_{(aq)} + OH^-_{(aq)} + H^+_{(aq)} + Br^-_{(aq)} \rightarrow K^+_{(aq)} + Br^-_{(aq)} + H_2O_{(l)}$$
Équation ionique nette:
$$OH^-_{(aq)} + H^+_{(aq)} \rightarrow H_2O_{(l)}$$
La réaction est spontanée parce qu'il y a formation de l'électrolyte faible H_2O.

b) Équation ionique nette:
$$2\ Fe_{(s)} + O_{2(g)} + 2\ H_2O_{(l)} \rightarrow 2\ Fe(OH)_{2(s)}$$

La réaction est spontanée, car le potentiel de la réaction globale est positif aux conditions standard ($E° = 0,84$ V)

c) Équation ionique:

$$2\,Na^+_{(aq)} + CO_3^{2-}_{(aq)} + Cu^{2+}_{(aq)} + 2\,Cl^-_{(aq)}$$
$$\rightarrow\ CuCO_{3(s)} + 2\,Na^+_{(aq)} + 2\,Cl^-_{(aq)}$$

Équation ionique nette:

$$CO_3^{2-}_{(aq)} + Cu^{2+}_{(aq)}\ \rightarrow\ CuCO_{3(s)}$$

La réaction est spontanée, car il y a formation du sel peu soluble, $CuCO_3$, parmi les produits.

d) Équation ionique:

$$ZnS_{(s)} + Cu^{2+}_{(aq)} + SO_4^{2-}_{(aq)}\ \rightarrow\ CuS_{(s)} + Zn^{2+}_{(aq)} + SO_4^{2-}_{(aq)}$$

Équation ionique nette:

$$ZnS_{(s)} + Cu^{2+}_{(aq)}\ \rightarrow\ CuS_{(s)} + Zn^{2+}_{(aq)}$$

Cette réaction ne peut se produire que si le produit peu soluble, CuS, est encore moins soluble que le réactif peu soluble ZnS, ce qui est d'ailleurs le cas.

e) Équation ionique:

$$3\,Ag_{(s)} + 4\,H^+_{(aq)} + 4\,NO_3^-_{(aq)}\ \rightarrow\ 3\,Ag^+_{(aq)} + 3\,NO_3^-_{(aq)} + NO_{(g)} + 2\,H_2O_{(l)}$$

Équation ionique nette:

$$3\,Ag_{(s)} + 4\,H^+_{(aq)} + NO_3^-_{(aq)}\ \rightarrow\ 3\,Ag^+_{(aq)} + NO_{(g)} + 2\,H_2O_{(l)}$$

Cette réaction est spontanée, car le potentiel global de la réaction est positif aux conditions standard ($E^o = 0,16$ V)

Exercice 4

a) Un acide fort, source d'ions H^+, et une base forte, source d'ions OH^-; par exemple:

$$HCl_{(aq)} + NaOH_{(aq)}\ \rightarrow\ NaCl_{(aq)} + H_2O_{(l)}$$

b) Un acide fort non oxydant, tel HCl, fournit les ions H^+; d'où l'équation sous forme moléculaire suivante:

$$2\,HCl_{(aq)} + Zn_{(s)}\ \rightarrow\ ZnCl_{2(aq)} + H_{2(g)}$$

c) Un sulfate soluble et un sel de baryum soluble, par exemple:

$$Na_2SO_{4(aq)} + Ba(NO_3)_{2(aq)}\ \rightarrow\ BaSO_{4(s)} + 2\,NaNO_{3(aq)}$$

d) Un sel d'aluminium soluble, source d'ions Al^{3+}; le nitrate d'aluminium donnerait l'équation suivante:

$$3\,Ca_{(s)} + 2\,Al(NO_3)_{3(aq)}\ \rightarrow\ 3\,Ca(NO_3)_{2(aq)} + 2\,Al_{(s)}$$

e) Un iodure soluble, tel KI, fournit les ions I^- et l'acide nitrique, les ions NO_3^- et H^+; d'où la réaction suivante:

$$6\,KI_{(aq)} + 8\,HNO_{3(aq)}\ \rightarrow\ 3\,I_{2(aq)} + 2\,NO_{(g)} + 4\,H_2O_{(l)} + 6\,KNO_{3(aq)}$$

f) Un sel d'ammonium soluble, tel NH_4Cl, libère des ions NH_4^+ et une base forte comme $NaOH$ libère des ions OH^-; d'où la réaction suivante:

$$NH_4Cl_{(aq)} + NaOH_{(aq)} \rightarrow NH_{3(g)} + H_2O_{(l)} + NaCl_{(aq)}$$

(aq)

Exercice 5

a) En solution aqueuse, milieu acide.

Demi-réactions:

$$2\,H^+_{(aq)} + 2\,e^- \rightarrow H_{2(g)} \qquad\qquad \varepsilon_T^\circ = 0,00\ V$$
$$Mg_{(s)} \rightarrow Mg^{2+}_{(aq)} + 2\,e^- \qquad\qquad \varepsilon_0^\circ = 2,37\ V$$

Potentiel global: 2,37 V

b) En solution aqueuse, milieu neutre.

Demi-réactions:

$$Ca_{(s)} \rightarrow Ca^{2+}_{(aq)} + 2\,e^- \qquad\qquad \varepsilon_0^\circ = 2,87\ V$$
$$2\,H_2O_{(l)} + 2\,e^- \rightarrow H_{2(g)} + 2\,OH^-_{(aq)} \qquad\qquad \varepsilon_T = -0,41\ V$$

Potentiel global: 2,46 V

c) En solution aqueuse, milieu acide.

Demi-réactions:

$$2\,I^-_{(aq)} \rightarrow I_{2(s)} + 2\,e^- \qquad\qquad \varepsilon_0^\circ = -0,53\ V$$
$$NO_3^-{}_{(aq)} + 4\,H^+_{(aq)} + 3\,e^- \rightarrow NO_{(g)} + 2\,H_2O_{(l)} \qquad\qquad \varepsilon_T^\circ = 0,96\ V$$

Potentiel global: 0,43 V

d) En solution aqueuse, milieu neutre.

Demi-réactions:

$$F_{2(g)} + 2\,e^- \rightarrow 2\,F^-_{(aq)} \qquad\qquad \varepsilon_T^\circ = 2,87\ V$$
$$2\,H_2O_{(l)} \rightarrow O_{2(g)} + 4\,H^+_{(aq)} + 4\,e^- \qquad\qquad \varepsilon_0 = -0,81\ V$$

Potentiel global: 2,06 V

e) En solution aqueuse, milieu neutre.

Demi-réactions:

$$Cl_{2(g)} + 2\,e^- \rightarrow 2\,Cl^-_{(aq)} \qquad\qquad \varepsilon_T^\circ = 1,36\ V$$
$$2\,Br^-_{(aq)} \rightarrow Br_{2(l)} + 2\,e^- \qquad\qquad \varepsilon_0^\circ = -1,06\ V$$

Potentiel global: 0,30 V

f) En solution aqueuse, milieu acide.

Demi-réactions:

$$2\,HIO_{3(aq)} + 10\,H^+_{(aq)} + 10\,e^- \rightarrow I_{2(s)} + 6\,H_2O_{(l)} \qquad\qquad \varepsilon_T^\circ = 1,20\ V$$
$$SO_{2(g)} + 2\,H_2O_{(l)} \rightarrow SO_4^{2-}{}_{(aq)} + 4\,H^+_{(aq)} + 2\,e^- \qquad\qquad \varepsilon_0^\circ = -0,17\ V$$

Potentiel global: 1,03 V

g) En solution aqueuse, milieu acide.

Demi-réactions:

$$MnO_4^-{}_{(aq)} + 4\ H^+{}_{(aq)} + 3\ e^- \rightarrow MnO_{2(s)} + 2\ H_2O_{(l)} \qquad \varepsilon_r{}^\circ = 1,69\ V$$

$$2\ Cl^-{}_{(aq)} \rightarrow Cl_{2(l)} + 2\ e^- \qquad\qquad\qquad \varepsilon_o{}^\circ = -1,36\ V$$

Potentiel global: 0,33 V

Exercice 6

a) Réactifs:

$AgNO_3$, NaI, en solution aqueuse, milieu neutre

Identification des ions:

Ag^+, NO_3^-, Na^+, I^-

Par substitution de l'ion positif Ag^+ et de l'ion positif Na^+, on obtient l'équation chimique suivante:

$$AgNO_{3(aq)} + NaI_{(aq)} \rightarrow AgI_{(s)} + NaNO_{3(aq)}$$

La réaction est spontanée puisque AgI est moins soluble que chacun des réactifs.

b) Réactifs:

Na_2CO_3, HCl, en solution aqueuse, milieu acide

Identification des ions:

Na^+, CO_3^{2-}, H^+, Cl^-

En substituant Na^+ par H^+, on obtient les équations:

$$Na_2CO_{3(aq)} + 2\ HCl_{(aq)} \rightarrow 2\ NaCl_{(aq)} + H_2CO_{3(aq)}$$

$$H_2CO_{3(aq)} \rightarrow CO_{2(g)} + H_2O_{(l)}$$

En additionnant ces deux dernières équations, on obtient l'équation globale de la réaction:

$$Na_2CO_{3(aq)} + 2\ HCl_{(aq)} \rightarrow 2\ NaCl_{(aq)} + CO_{2(g)} + H_2O_{(l)}$$

Cette réaction est spontanée puisqu'un gaz peu soluble, $CO_{2(g)}$, et un électrolyte faible, $H_2O_{(l)}$, sont formés.

c) Réactifs:

$CeCl_4$, $Fe(NO_3)_2$, en solution aqueuse, milieu neutre

Identification des ions:

Ce^{4+}, Cl^-, Fe^{2+}, NO_3^-

En substituant les ions Ce^{4+} par les ions Fe^{2+}, on obtient l'équation de la réaction:

$$CeCl_{4(aq)} + 2\ Fe(NO_3)_{2(aq)} \rightarrow Ce(NO_3)_{4(aq)} + 2\ FeCl_{2(aq)}$$

Cette réaction de substitution n'est pas spontanée puisqu'il ne se trouve pas d'électrolyte faible parmi les produits. Par contre, examinons la possibilité d'une réaction d'oxydoréduction.

Demi-réactions possibles:

$$Ce^{4+}_{(aq)} + e^- \rightarrow Ce^{3+}_{(aq)} \qquad\qquad \varepsilon_T^\circ = 1,71 \text{ V}$$

$$2Cl^-_{(aq)} \rightarrow Cl_{2(g)} + 2e^- \qquad\qquad \varepsilon_0^\circ = -1,36 \text{ V}$$

$$Fe^{2+}_{(aq)} \rightarrow Fe^{3+}_{(aq)} + e- \qquad\qquad \varepsilon_0^\circ = -0,77 \text{ V}$$

$$Fe^{2+}_{(aq)} + 2e^- \rightarrow Fe_{(s)} \qquad\qquad \varepsilon_T^\circ = -0,44 \text{ V}$$

Le réducteur le plus fort, $Fe^{2+}_{(aq)}$, réagit spontanément avec l'oxydant le plus fort, $Ce^{4+}_{(aq)}$, selon l'équation globale suivante, puisque le potentiel est positif, 0,94 V:

$$Ce^{4+}_{(aq)} + Fe^{2+}_{(aq)} \rightarrow Ce^{3+}_{(aq)} + Fe^{3+}_{(aq)}$$

d) Réactifs:

NaI, Cu_2SO_4, solution aqueuse, milieu neutre

Identification des ions:

Na^+, I^-, Cu^+, SO_4^{2-}

En substituant l'ion Na^+ par l'ion Cu^+, on obtient l'équation de la réaction:

$$2 NaI_{(aq)} + Cu_2SO_{4(aq)} \rightarrow 2 CuI_{(s)} + Na_2SO_{4(aq)}$$

Comme il y a formation d'un électrolyte faible, $CuI_{(s)}$, parmi les produits, cette réaction de substitution est spontanée.

e) Réactifs:

H_2S, KOH, en solution aqueuse

Identification des ions:

H^+, S^{2-}, K^+, OH^-

En substituant l'ion H^+ par l'ion K^+, on obtient l'équation:

$$H_2S_{(aq)} + 2 KOH_{(aq)} \rightarrow K_2S_{(aq)} + 2 H_2O_{(l)}$$

Cette réaction est spontanée, puisqu'il y a, chez les produits, formation d'un électrolyte plus faible, H_2O, que chez les réactifs.

f) Réactifs:

CaO, HI, en solution aqueuse, en milieu acide

Identification des ions:

Ca^{2+}, O^{2-}, H^+, I^-

En substituant l'ion H^+ par l'ion Ca^{2+}, on obtient l'équation:

$$2 HI_{(aq)} + CaO_{(aq)} \rightarrow CaI_{2(aq)} + H_2O_{(l)}$$

Cette réaction est spontanée, puisqu'il y a, chez les produits, formation d'un électrolyte plus faible, H_2O, que chez les réactifs.

g) Réactifs:

Cl_2, Sn, non en solution aqueuse

Élément le moins électronégatif: Sn
Élément le plus électronégatif: Cl

Degrés d'oxydation positifs de Sn: +2 et +4
Degré d'oxydation négatif de Cl: -1

Équations de demi-réaction:

$$Sn_{(s)} \rightarrow Sn^{2+} + 2\,e^-$$

$$Sn_{(s)} \rightarrow Sn^{4+} + 4\,e^-$$

$$Cl_{2(g)} + 2e^- \rightarrow 2\,Cl^-$$

Les deux réactions suivantes peuvent donc se produire:

$$Sn_{(s)} + Cl_{2(g)} \rightarrow SnCl_{2(s)} \text{ (excès de Sn)}$$

$$Sn_{(s)} + 2\,Cl_{2(g)} \rightarrow SnCl_{4(s)} \text{ (excès de Cl}_2)$$

h) Réactifs:

NH_4Cl, $Ca(OH)_2$ en solution aqueuse, milieu basique.
Identification des ions:

NH_4^+, Cl^-, Ca^{2+}, OH^-

Réaction de substitution en remplaçant l'ion NH_4^+ par l'ion Ca^{2+} et en tenant compte que NH_3 est la forme prédominante en présence de l'ion NH_4^+ et de l'ion OH^-:

$$2\,NH_4Cl_{(aq)} + Ca(OH)_{2(s)} \rightarrow CaCl_{2(aq)} + 2\,NH_{3(aq)} + 2\,H_2O_{(l)}$$

Cette réaction de substitution a lieu spontanément puisque, parmi les produits, il y a présence des électrolytes plus faibles, NH_3 et H_2O.

i) Réactifs:

$K_2Cr_2O_7$, HI, en solution aqueuse, milieu acide

Identification des ions:

K^+, $Cr_2O_7^{2-}$, H^+, I^-

La substitution de l'ion K^+ par l'ion H^+ ne peut donner de réaction de substitution puisque l'acide correspondant à l'ion $Cr_2O_7^{2-}$ n'existe pas. Vérifions donc la possibilité d'une réaction d'oxydoréduction.

Demi-réactions possibles:

$$K^+_{(aq)} + e^- \rightarrow K_{(s)} \qquad\qquad \varepsilon_r^\circ = -2,92 \text{ V}$$

$$Cr_2O_7^{2-}{}_{(aq)} + 14\,H^+_{(aq)} + 6\,e^- \rightarrow 2\,Cr^{3+}_{(aq)} + 7\,H_2O_{(l)} \qquad \varepsilon_r^\circ = 1,33 \text{ V}$$

$$2\,H^+_{(aq)} + 2\,e^- \rightarrow H_{2(g)} \qquad\qquad \varepsilon_r^\circ = 0,00 \text{ V}$$

$$2\,I^-_{(aq)} \rightarrow I_{2(s)} + 2\,e^- \qquad\qquad \varepsilon_o^\circ = -0,53 \text{ V}$$

Le plus fort oxydant, $Cr_2O_7^{2-}{}_{(aq)}$, réagit spontanément avec le réducteur, $I^-_{(aq)}$, ($E^\circ = 0,80$ V) selon l'équation ionique nette suivante:

$$Cr_2O_7^{2-}{}_{(aq)} + 14\,H^+_{(aq)} + 6\,I^-_{(aq)} \rightarrow 2\,Cr^{3+}_{(aq)} + 3\,I_{2(s)} + 7\,H_2O_{(l)}$$

Sous forme moléculaire, elle s'écrit:

$$K_2Cr_2O_{7(aq)} + 14\,HI_{(aq)} \rightarrow 2\,CrI_{3(aq)} + 3\,I_{2(s)} + 7\,H_2O_{(l)} + 2\,KI_{(aq)}$$

j) Réactifs:

$Mg(OH)_2$, CO_2, en solution aqueuse

Identification des ions:

Mg^{2+}, OH^- et H^+, CO_3^{2-} provenant de l'équilibre suivant:

$$CO_{2(g)} + H_2O_{(l)} \rightleftharpoons H_2CO_{3(aq)} \rightleftharpoons 2\,H^+_{(aq)} + CO_3^{2-}_{(aq)}$$

En substituant l'ion Mg^{2+} par l'ion H^+, on obtient l'équation suivante:

$$Mg(OH)_{2(s)} + CO_{2(g)} \rightarrow MgCO_{3(s)} + H_2O_{(l)}$$

Cette réaction de substitution est spontanée étant donné la formation de l'électrolyte très faible H_2O et du sel peu soluble $MgCO_{3(s)}$.

k) Réactifs:

Mg et O_2 non en solution aqueuse

Élément le moins électronégatif: Mg
Élément le plus électronégatif: O

Degré d'oxydation du moins électronégatif: +2
Degré d'oxydation du plus électronégatif: -2

Demi-réactions:

$$Mg_{(s)} \rightarrow Mg^{2+} + 2\,e^-$$
$$O_{2(g)} + 4\,e^- \rightarrow 2\,O^{2-}$$

D'où la réaction d'oxydoréduction représentée par l'équation suivante:

$$2\,Mg_{(s)} + O_{2(g)} \rightarrow 2\,MgO_{(s)}$$

7. l) Réactifs:

Al et HCl en solution aqueuse, milieu acide

Considérons immédiatement une réaction d'oxydoréduction puisque Al ne contient pas d'ion.

Demi-réactions possibles:

$$Al_{(s)} \rightarrow Al^{3+}_{(aq)} + 3\,e^- \qquad\qquad \varepsilon_0^\circ = 1,66\ V$$

$$2\,H^+_{(aq)} + 2\,e^- \rightarrow H_{2(g)} \qquad\qquad \varepsilon_r^\circ = 0,00\ V$$

$$2\,Cl^-_{(aq)} \rightarrow Cl_{2(g)} + 2\,e^- \qquad\qquad \varepsilon_0^\circ = -1,36\ V$$

$$Cl^-_{(aq)} + 4\,H_2O_{(l)} \rightarrow ClO_4^-_{(aq)} + 8\,H^+_{(aq)} + 8\,e^- \qquad \varepsilon_0^\circ = -1,39\ V$$

$$Cl^-_{(aq)} + 3\,H_2O_{(l)} \rightarrow ClO_3^-_{(aq)} + 6\,H^+_{(aq)} + 6\,e^- \qquad \varepsilon_0^\circ = -1,45\ V$$

$$Cl^-_{(aq)} + H_2O_{(l)} \rightarrow HClO_{(aq)} + H^+_{(aq)} + 2\,e^- \qquad \varepsilon_0^\circ = -1,49\ V$$

$$Cl^-_{(aq)} + 2\,H_2O_{(l)} \rightarrow HClO_{2(aq)} + 3\,H^+_{(aq)} + 4\,e^- \qquad \varepsilon_0^\circ = -1,57\ V$$

$$2\,H_2O_{(l)} \rightarrow O_{2(g)} + 4\,H^+_{(aq)} + 4\,e^- \qquad\qquad \varepsilon_0 = -1,23\ V$$

Le réducteur le plus fort, Al, réagit spontanément avec l'oxydant, H^+, puisque le potentiel global est positif, 1,66V. D'où l'équation moléculaire suivante de la réaction d'oxydoréduction:

$$2\,Al_{(s)} + 6\,HCl_{(aq)} \rightarrow 2\,AlCl_{3(aq)} + 3\,H_{2(g)}$$

m) Réactifs:

Br_2 et Au, non en solution aqueuse

Ces substances ne sont pas composées d'ions; elles ne peuvent donc pas réagir par substitution.

Élément le moins électronégatif: Au
Élément le plus électronégatif: Br

Degré d'oxydation du moins électronégatif: +3
Degré d'oxydation du plus électronégatif: -1

Demi-réactions:

$$Au_{(s)} \rightarrow Au^{3+} + 3\ e^-$$

$$Br_{2(l)} + 2\ e^- \rightarrow 2\ Br^-$$

D'où la réaction d'oxydoréduction représentée par l'équation suivante:

$$2\ Au_{(s)} + 3\ Br_{2(l)} \rightarrow 2\ AuBr_{3(s)}$$

n) Réactifs:

Br_2 et KI en solution aqueuse, milieu neutre

Br_2 ne contenant pas d'ion, il ne peut pas réagir par substitution. Vérifions par oxydoréduction.

Demi-réactions possibles:

$$K^+_{(aq)} + e^- \rightarrow K_{(s)} \qquad\qquad \varepsilon_r^° = -2{,}92\ V$$

$$2\ I^-_{(aq)} \rightarrow I_{2(s)} + 2\ e^- \qquad\qquad \varepsilon_o^° = -0{,}53\ V$$

$$Br_{2(l)} + 2\ e^- \rightarrow 2\ Br^-_{(aq)} \qquad\qquad \varepsilon_r^° = 1{,}06\ V$$

$$2H_2O_{(l)} \rightarrow O_{2(g)} + 4\ H^+_{(aq)} + 4\ e^- \qquad \varepsilon_o = -0{,}81\ V$$

$$2\ H_2O_{(l)} + 2\ e^- \rightarrow H_{2(g)} + 2\ OH^-_{(aq)} \qquad \varepsilon_r = -0{,}41\ V$$

Il y a donc échange d'électrons de l'ion I^-, le plus fort des réducteurs, à Br_2, le plus fort des oxydants, selon l'équation suivante:

$$2\ KI_{(aq)} + Br_{2(l)} \rightarrow 2\ KBr_{(aq)} + I_{2(s)} \qquad\qquad E = 0{,}53\ V$$

o) Réactifs:

$SrSO_4$ et Na_2CO_3 en solution aqueuse

Identification des ions:

Sr^{2+}, SO_4^{2-}, Na^+, CO_3^{2-}

En substituant l'ion Na^+ à l'ion Sr^{2+}, on obtient l'équation de la réaction suivante:

$$SrSO_{4(aq)} + Na_2CO_{3(aq)} \rightarrow SrCO_{3(s)} + Na_2SO_{4(aq)}$$

Cette réaction a lieu spontanément puisqu'il se trouve un électrolyte plus faible, $SrCO_3$, sel peu soluble, chez les réactifs.

Exercice 7

a) Produit: sulfure d'argent, Ag_2S, sel peu soluble,

Ions composant ce sel: Ag^+ et S^{2-}

Ce composé étant peu soluble, tout sel d'argent soluble, source d'ions Ag^+, réagit avec un sulfure soluble, source d'ion S^{2-}, pour le former. Par exemple:

$$2\,AgNO_{3(aq)} + Na_2S_{(aq)} \rightarrow Ag_2S_{(s)} + 2\,NaNO_{3(aq)}$$

b) Produit: dioxyde de soufre, SO_2.

Ce gaz se dégage chaque fois que se forme l'acide sulfureux, H_2SO_3, puisqu'il en est la forme prédominante.

L'acide sulfureux est un acide faible qui est facilement formé par réaction de substition entre un acide fort, source d'ions H^+, et un sulfite soluble, source d'ions SO_3^{2-}. Par exemple:

$$2\,HCl_{(aq)} + Na_2SO_{3(aq)} \rightarrow 2\,NaCl_{(aq)} + SO_{2(g)} + H_2O_{(l)}$$

? c) Produit: Br_2

Une substance à l'état élémentaire ne peut s'obtenir que par réaction d'oxydoréduction puisqu'elle ne contient pas d'ion. Il faut donc choisir un bromure soluble, source d'ions Br^-, et un oxydant plus fort que le brome et l'eau. Par exemple, en faisant réagir KBr et $KMnO_4$ en milieu acide (HCl),

$2\,Br^-_{(aq)} \rightarrow Br_{2(l)} + 2\,e^-$	$\varepsilon_0^\circ = -1{,}06$ V
$MnO_4^-{}_{(aq)} + 4\,H^+_{(aq)} + 3\,e^- \rightarrow MnO_{2(s)} + 2\,H_2O_{(l)}$	$\varepsilon_r^\circ = 1{,}69$ V
$MnO_4^-{}_{(aq)} + 8\,H^+_{(aq)} + 5\,e^- \rightarrow Mn^{2+}{}_{(s)} + 4\,H_2O_{(l)}$	$\varepsilon_r^\circ = 1{,}51$ V
$2\,H^+_{(aq)} + 2\,e^- \rightarrow H_{2(g)}$	$\varepsilon_r^\circ = 0{,}00$ V
$2\,Cl^-_{(aq)} \rightarrow Cl_{2(g)} + 2\,e^-$	$\varepsilon_0^\circ = -1{,}36$ V
$Cl^-_{(aq)} + 4\,H_2O_{(l)} \rightarrow ClO_4^-{}_{(aq)} + 8\,H^+_{(aq)} + 8\,e^-$	$\varepsilon_0^\circ = -1{,}39$ V
$Cl^-_{(aq)} + 3\,H_2O_{(l)} \rightarrow ClO_3^-{}_{(aq)} + 6\,H^+_{(aq)} + 6\,e^-$	$\varepsilon_0^\circ = -1{,}45$ V
$Cl^-_{(aq)} + H_2O_{(l)} \rightarrow HClO_{(aq)} + H^+_{(aq)} + 2\,e^-$	$\varepsilon_0^\circ = -1{,}49$ V
$Cl^-_{(aq)} + 2\,H_2O_{(l)} \rightarrow HClO_{2(aq)} + 3\,H^+_{(aq)} + 4\,e^-$	$\varepsilon_0^\circ = -1{,}57$ V
$2\,H_2O_{(l)} \rightarrow O_{2(g)} + 4\,H^+_{(aq)} + 4\,e^-$	$\varepsilon_0^\circ = -1{,}23$ V

D'où la réaction d'oxydoréduction spontanée ($E^\circ = 0{,}63$ V) entre le réducteur le plus fort, Br^-, et l'oxydant le plus fort, MnO_4^-, selon l'équation:

$$2\,MnO_4^-{}_{(aq)} + 8\,H^+_{(aq)} + 6\,Br^-_{(aq)} \rightarrow 2\,MnO_{2(s)} + 3\,Br_{2(aq)} + 4\,H_2O_{(l)}$$

ou sous forme moléculaire:

$$2\,KMnO_{4(aq)} + 8\,HCl_{(aq)} + 6\,KBr_{(aq)}$$
$$\rightarrow 2\,MnO_{2(s)} + 3\,Br_{2(l)} + 4\,H_2O_{(l)} + 8\,KCl_{(aq)}$$

d) Produit: hydroxyde de zinc, $Zn(OH)_2$, peu soluble.

Ions formant le produit: Zn^{2+} et OH^-

Cet hydroxyde, peu soluble, peut être préparé en mélangeant un sel soluble de zinc, source d'ions Zn^{2+}, et un hydroxyde soluble, source d'ions OH^-. Par exemple, par réaction de substitution entre le nitrate de zinc, $Zn(NO_3)_2$, et l'hydroxyde de sodium, NaOH:

$$Zn(NO_3)_{2(aq)} + 2\ NaOH_{(aq)} \rightarrow Zn(OH)_{2(s)} + 2\ NaNO_{3(aq)}$$

e) Produit: oxyde de magnésium, MgO, un oxyde métallique.

L'ion oxyde, O^{2-}, étant trop réactif pour exister en solution aqueuse, il est impossible de préparer directement cet oxyde par réaction de substitution. L'oxyde de magnésium peut cependant facilement être obtenu en faisant brûler le magnésium en présence d'oxygène (ou d'air).

Réactifs: Mg et O_2

Élément le moins électronégatif: Mg
Élément le plus électronégatif: O

Degré d'oxydation du moins électronégatif: +2
Degré d'oxydation du plus électronégatif: -2

Demi-réactions:

$$Mg_{(s)} \rightarrow Mg^{2+} + 2\ e^-$$
$$O_{2(g)} + 4\ e^- \rightarrow 2\ O^{2-}$$

D'où la réaction d'oxydoréduction représentée par l'équation suivante:

$$2\ Mg_{(s)} + O_{2(g)} \rightarrow 2\ MgO_{(s)}$$

Comme plusieurs oxydes, l'oxyde de magnésium peut aussi être obtenu en chauffant son hydroxyde solide:

$$Mg(OH)_{2(s)} + chaleur \rightarrow MgO_{(s)} + H_2O_{(g)}$$

f) Produit: fluorure d'ammonium, NH_4F, sel soluble. $NH_{3\ (aq)} + HF_{(aq)} \to NH_4F_{(aq)}$
Ions composant le produit: NH_4^+ et F^-

Les sels d'ammonium étant tous solubles, le fluorure d'ammonium doit être obtenu après évaporation de l'eau. Il faut alors obtenir comme produit uniquement le sel recherché et de l'eau. A cette fin, on procède par réaction de substitution acido-basique et les réactifs sont une base, source de l'ion positif, NH_4^+, et un acide, source de l'ion négatif, F^-. La base nécessaire, dans le cas présent, est donc NH_3, source d'ions NH_4^+, et l'acide fluorhydrique, HF, source d'ion F^-. D'où la réaction suivante:

g) Produit: cuivre, Cu.

Le cuivre étant un élément, il faut donc pour l'obtenir réduire l'ion cuivreux ou cuivrique à l'aide d'un réducteur suffisamment fort pour obtenir une réaction d'oxydoréduction spontanée. Par exemple, l'ion cuivrique peut être réduit par l'ion $S_2O_3^{2-}$ en milieu neutre.

Les demi-réactions sont alors:

$$Cu^{2+}_{(aq)} + 2\ e^- \rightarrow Cu_{(s)} \qquad\qquad \varepsilon_r^\circ = 0,34\ V$$
$$2\ S_2O_3^{2-}_{(aq)} \rightarrow S_4O_6^{2-}_{(aq)} + 2\ e^- \qquad\qquad \varepsilon_o^\circ = -0,08\ V$$

et la réaction globale sous forme ionique nette:

$$Cu^{2+}_{(aq)} + 2\ S_2O_3^{2-}_{(aq)} \rightarrow Cu_{(s)} + S_4O_6^{2-}_{(aq)} \qquad\qquad E^\circ = 0,26\ V$$

On choisit donc un sel de cuivre soluble, par exemple le nitrate cuivrique, et un sel soluble contenant l'ion $S_2O_3^{2-}$, par exemple le thiosulfate de sodium, d'où l'équation sous forme moléculaire:

$$Cu(NO_3)_{2(aq)} + 2\ Na_2S_2O_{3(aq)} \rightarrow Cu_{(s)} + Na_2S_4O_{6(aq)} + 2\ NaNO_{3(aq)}$$

h) Produit: chlorure cuivrique, $CuCl_2$, sel soluble.
Ions formant le sel: Cu^{2+} et Cl^-

Ce sel étant soluble, il doit être le seul produit obtenu, à part l'eau, afin de l'isoler par évaporation. Il doit donc être préparé par réaction de substitution acido-basique en mélangeant l'hydroxyde cuivrique, source d'ions Cu^{2+}, et l'acide chlorhydrique, source d'ions Cl^-.

$$Cu(OH)_{2(s)} + 2\ HCl_{(aq)} \rightarrow CuCl_{2(aq)} + 2\ H_2O_{(l)}$$

Cette réaction est spontanée, malgré qu'un des réactifs soit un solide (électrolyte faible), puisqu'il y a formation d'eau, un électrolyte très faible. Après évaporation de l'eau, le solide obtenu est uniquement du chlorure cuivrique si tout l'hydroxyde cuivrique a réagi.

i) Produit: nitrate de baryum, $Ba(NO_3)_2$, sel soluble.
Ions composant le produit: Ba^{2+} et NO_3^-

Le nitrate de baryum étant soluble, il doit être le seul produit obtenu, à part l'eau, afin de l'isoler par évaporation de l'eau. Aussi, on mélange l'hydroxyde du métal à l'acide contenant son ion négatif pour l'obtenir par réaction de substitution acido-basique. L'équation suivante en est un exemple qui représente cette réaction:

$$Ba(OH)_{2(aq)} + 2\ HNO_{3(aq)} \rightarrow Ba(NO_3)_{2(aq)} + 2\ H_2O_{(l)}$$

La réaction est spontanée grâce à l'électrolyte très faible, H_2O, chez les produits.

ATTRACTIONS INTERMOLÉCULAIRES

RÉPONSES AUX QUESTIONS

Question 5.1

a) O_2, car la molécule d'oxygène (M = 32 g/mol) est plus grosse que celle d'hydrogène, H_2 (M = 2 g/mol), et contient donc plus d'électrons.

b) Xe, car l'atome de xénon est plus gros (M = 131,3 g/mol) que l'atome d'hélium (M = 4,0 g/mol) et contient donc plus d'électrons.

Question 5.2

CH_3OH et CH_3NH_2. Seules ces molécules possèdent, en plus de l'hydrogène, un atome très électronégatif d'oxygène ou d'azote.

Question 5.3

Entre les molécules de butane, C_4H_{10}, il ne peut pas s'établir de ponts hydrogène puisque, dans cette molécule, il n'y a pas d'atomes très électronégatifs d'oxygène, de fluor ou d'azote. Cette molécule étant plutôt volumineuse, les attractions de London sont importantes. Toutefois, les attractions par ponts hydrogène dans la molécule CH_3OH sont plus fortes que les attractions de London de la molécule C_4H_{10}. Par conséquent, la température d'ébullition de CH_3OH est supérieure à celle de C_4H_{10}. En fait, à la température de la pièce et à la pression barométrique, le méthanol, CH_3OH, est liquide alors que le butane, C_4H_{10}, est gazeux.

Question 5.4

Dans les deux molécules, on retrouve des attractions de London et de Keesom. Les attractions de London sont naturellement plus intenses dans le cas de la molécule H_2S, celle-ci étant plus volumineuse. Toutefois, entre les molécules d'eau, les attractions de Keesom sont plus intenses à cause de la présence de ponts hydrogène. Ces ponts hydrogène sont plus forts que les attractions de London dans H_2S et, par conséquent, la température de fusion de l'eau (0°C) est supérieure à celle de H_2S (-85,5°C).

Question 5.5

On n'a pas spécifié la structure moléculaire ni de l'huile d'olive, ni du sable; il n'est donc pas possible, pour le moment, de déduire théoriquement la nature et l'intensité des attractions intermoléculaires entre ces composés. Toutefois, l'observation courante montre que l'huile flotte sur l'eau mais non le sable. Donc,
- la masse volumique de l'eau est plus élevée que celle de l'huile d'olive;
- celle du sable est plus grande que celle de l'eau, ce qui est le cas de la plupart des solides.

Question 5.6

Les attractions intermoléculaires entre les molécules d'eau sont supérieures à celles entre l'eau et la cire; par conséquent, l'eau ne mouille pas une automobile cirée, mais forment des gouttelettes. En absence de cire, les attractions intermoléculaires entre l'eau et la peinture de l'automobile sont suffisamment fortes pour mouiller cette dernière, de sorte que l'eau s'y étend et ne forme pas de gouttelettes.

EXERCICES RÉSOLUS

Exercice 1

a) Transformation physique. L'eau passe de liquide à vapeur sans changer sa nature.

b) Réaction chimique. Le bois, formé principalement de carbone, d'hydrogène et d'oxygène de formule générale $C_xH_yO_z$, se transforme en $CO_{2(g)}$ et en $H_2O_{(g)}$ lorsqu'il brûle.

c) Transformation physique. Le gaz passe de l'état gazeux à l'état liquide sans changer sa nature.

d) Transformation physique. La neige, forme solide de l'eau, se change en liquide sans changer sa nature.

e) Réaction chimique. L'essence, hydrocarbures de forme C_xH_y, se change en $CO_{2(g)}$ et en $H_2O_{(g)}$ lorsqu'elle brûle.

f) Réaction chimique. La nourriture se transforme en molécules assimilables et en énergie lors de la digestion.

g) Réaction chimique. Le fer métallique, Fe, se transforme en oxyde de fer par réaction d'oxydoréduction.

h) Transformation physique. La sève, mélange d'eau, de sucre et de sels minéraux, ne fait que se déplacer sans changer de nature.

Exercice 2

a) Faux. Bien qu'en général cela soit vrai, il peut arriver que l'empilement des molécules soit moins compact à l'état solide, à cause de certains arrangements géométriques des molécules; l'eau en est un exemple.

b) Faux. Les deux molécules sont sensiblement de la même grosseur et, par conséquent, les attractions de London sont comparables. Toutefois, puisqu'entre les molécules d'ammoniac, NH_3, il s'y établit des ponts hydrogène, sa température d'ébullition est supérieure à celle du méthane.

Exercice 3

À la température ambiante, la masse volumique de l'eau liquide est à peu près $1,0$ g/cm³. D'où:

m(liquide) $= \rho \times V = 1,0$ g/cm³ $\times 1000$ cm³ $= 1\,000$ g

Pour calculer la masse d'un litre de vapeur d'eau, on peut utiliser l'équation des gaz parfaits puisque l'eau est alors sous forme de gaz, d'où:

m(gaz) $=$ pVM / RT
m(gaz) $= 101,3$ kPa $\times 1$ L $\times 18,0152$ g/mol / ($8,31$ kPa-L/K-mol $\times 423$ K)
m(gaz) $= 0,519$ g

La plus grande masse d'un même volume d'eau sous forme liquide est due aux attractions intermoléculaires plus fortes qui permettent aux molécules de se rapprocher davantage à l'état liquide qu'à l'état gazeux.

Exercice 4

a) Entre ces atomes, il ne peut s'établir que des attractions de London. Le plus petit atome a donc la plus basse température d'ébullition puisqu'il contient moins d'électrons:

Volume: $V(Ne) < V(Ar) < V(Kr)$
Température d'ébullition: $T_{éb}(Ne) < T_{éb}(Ar) < T_{éb}(Kr)$

D'où:

$$T_{éb}(Ne) = -246°C \; ; \; T_{éb}(Ar) = -186°C; \; T_{éb}(Kr) = -152°C$$

b) H_2O a la température d'ébullition la plus élevée, car il se forme des ponts hydrogène entre ses molécules. Les attractions de London sont plus fortes dans H_2S que dans CH_4, leur masse molaire respective étant de 34 g/mol et de 16 g/mol; la température d'ébullition de H_2S est donc supérieure à celle du méthane, CH_4. D'où:

$$T_{éb}(H_2O) = 100°C \; ; \; T_{éb}(H_2S) = -61°C; \; T_{éb}(CH_4) = -164°C$$

Exercice 5

À cause du grand volume d'air que contient le navire, le rapport masse sur volume du navire est inférieur à la masse volumique de l'eau.

Exercice 6

a) 1. solide
   2. liquide
   3. gaz
   4. équilibre solide-liquide
   5. équilibre liquide-gaz
   6. équilibre solide-gaz
   7. équilibre solide-liquide-gaz

b) 1 à 2: de solide à liquide: fusion
   2 à 3: de liquide à gaz: vaporisation
   1 à 3: de solide à gaz: sublimation

Exercice 7

L'essence s'évapore plus facilement que l'eau parce que ses attractions intermoléculaires sont plus faibles. Comme la masse volumique est également plus faible lorsque les attractions intermoléculaires sont moins intenses, la masse volumique de l'essence est inférieure à celle de l'eau. En effet, les molécules d'hydrocarbures, C_xH_y, qui composent l'essence, ne sont pas reliées entre elles par des ponts hydrogène alors que les molécules d'eau le sont.

Exercice 8

La température de fusion est la température à laquelle un solide se transforme en liquide et la température d'ébullition, celle à laquelle un liquide se transforme en gaz.
Le passage de liquide à gaz libère presque complètement les molécules de leurs attractions intermoléculaires. Par contre, le passage de solide à liquide ne fait qu'éloigner un peu plus les molécules les unes des autres, de sorte que les molécules à l'état liquide demeurent attirées les unes par les autres. Il faut donc plus d'énergie pour passer de l'état liquide à l'état gazeux et, par conséquent, la température d'ébullition est plus élevée que celle de fusion pour une même substance.

Exercice 9

Bien qu'aluminium et naphtalène soient des solides à la température ambiante, ils ont tous deux une pression de vapeur même si elle est plus faible que celle d'un liquide. Cependant, alors que l'on peut se rendre compte que le naphtalène s'évapore lentement, on ne le peut pas dans le cas de l'aluminium. Par conséquent, la pression de vapeur du naphtalène est supérieure à celle de l'aluminium.

Exercice 10

Le mercure est un liquide non mouillant, c'est-à-dire un liquide qui a une forte tendance à se ramasser sur lui-même. Aussi dans un récipient de verre, sa surface forme un ménisque convexe (figure 5.11); les bords de la surface sont plus fortement attirés par le mercure que par le verre puisque les attractions inter-moléculaires entre atomes de mercure sont plus intenses qu'entre mercure et verre.

Au contraire, l'eau étant un liquide mouillant, c'est-à-dire un liquide qui a tendance à s'étendre sur une surface de verre, il forme à sa surface dans un récipient de verre un ménisque ~~convexe~~ *concave* (figure 5.11); les bords de la surface ont tendance à s'élever le long du verre, puisque les attractions intermoléculaires entre le verre et l'eau sont plus intenses qu'entre molécules d'eau elles-mêmes.

EXERCICES RÉSOLUS

Exercice 1

a) Propriétés physiques

Les molécules de dioxyde de carbone sont beaucoup plus grosses que celles de l'hydrogène. Les attractions intermoléculaires sont donc plus fortes dans le dioxyde de carbone. Il est alors possible de distinguer ces deux gaz par leurs températures de fusion ou d'ébullition.

La masse molaire du dioxyde de carbone étant plus grande que celle de l'air, et celle de l'hydrogène plus petite, il en résulte que leurs masses volumiques sont respectivement plus grande et plus petite que celle de l'air. Un ballon gonflé à l'hydrogène s'élève dans l'air, alors qu'un ballon gonflé au dioxyde de carbone tombe au sol.

La molécule de dioxyde de carbone contient beaucoup plus d'électrons que la molécule d'hydrogène et le spectre atomique du dioxyde de carbone contient beaucoup plus de raies spectrales.

b) Propriétés chimiques

Le dioxyde de carbone peut éteindre une flamme car il ne peut pas réagir avec l'oxygène de l'air, alors que l'hydrogène réagit violemment, de façon explosive, avec l'oxygène de l'air.

Le dioxyde de carbone est un oxyde non métallique et se dissout dans l'eau pour former un acide, H_2CO_3. L'hydrogène ne peut modifier l'acidité de l'eau dans laquelle il ne se dissout pratiquement pas.

Le dioxyde de carbone est un oxyde non métallique et il réagit avec un hydroxyde métallique pour donner un sel (un carbonate) par précipitation ou évaporation. Par exemple, l'hydroxyde de baryum, $Ba(OH)_2$, en présence de dioxyde de carbone, CO_2, forme le carbonate de baryum, $BaCO_3$.

L'hydrogène, en présence de chaleur, réduit un oxyde métallique en métal alors que le dioxyde de carbone ne peut le faire.

Exercice 2

a) Réactifs: Zn, CL, en ...

Mg, HCl, en solution aqueuse, milieu acide

La réaction en est une d'oxydoréduction puisque Zn ne contient pas d'ion.

Demi-réactions possibles:

$$Zn_{(s)} \rightarrow Zn^{2+}_{(aq)} + 2\,e^-$$ $$\varepsilon_0° = 0,76\ V$$

$$2\,H^+_{(aq)} + 2\,e^- \rightarrow H_{2(g)}$$ $$\varepsilon_T° = 0,00\ V$$

$$2\,Cl^-_{(aq)} \rightarrow Cl_{2(g)} + 2\,e^-$$ $$\varepsilon_0° = -1,36\ V$$

$$Cl^-_{(aq)} + 4\,H_2O_{(l)} \rightarrow ClO_4^-_{(aq)} + 8\,H^+_{(aq)} + 8\,e^-$$ $$\varepsilon_0° = -1,39\ V$$

$$Cl^-_{(aq)} + 3\,H_2O_{(l)} \rightarrow ClO_3^-_{(aq)} + 6\,H^+_{(aq)} + 6\,e^-$$ $$\varepsilon_0° = -1,45\ V$$

$$Cl^-_{(aq)} + H_2O_{(l)} \rightarrow HClO_{(aq)} + H^+_{(aq)} + 2\,e^-$$ $$\varepsilon_0° = -1,49\ V$$

$$Cl^-_{(aq)} + 2\,H_2O_{(l)} \rightarrow HClO_{2(aq)} + 3\,H^+_{(aq)} + 4\,e^-$$ $$\varepsilon_0° = -1,57\ V$$

$$2\,H_2O_{(l)} \rightarrow O_{2(g)} + 4\,H^+_{(aq)} + 4\,e^-$$ $$\varepsilon_0° = -1,23\ V$$
$$-1,77\,V$$

D'où l'équation de la réaction spontanée d'oxydoréduction:

$$Zn_{(s)} + 2\,HCl_{(aq)} \rightarrow ZnCl_{2(aq)} + H_{2(g)}$$ $$E° = 0,76\ V$$

b) Réactifs:

$\qquad$ NaH, H_2O, milieu neutre

Demi-réactions possibles:

$$Na^+_{(aq)} + e^- \rightarrow Na_{(s)}$$ $$\varepsilon_T° = -2,71\ V$$

$$2\,H^-_{(aq)} \rightarrow H_{2(g)} + 2\,e^-$$ $$\varepsilon_0° = 2,25\ V$$

$$2\,H_2O_{(l)} \rightarrow O_{2(g)} + 4\,H^+_{(aq)} + 4\,e^-$$ $$\varepsilon_0 = -0,81\ V$$

$$2\,H_2O_{(l)} + 2\,e^- \rightarrow H_{2(g)} + 2\,OH^-_{(aq)}$$ $$\varepsilon_T = -0,41\ V$$

D'où l'équation de la réaction spontanée d'oxydoréduction:

$$NaH_{(aq)} + H_2O_{(l)} \rightarrow H_{2(g)} + NaOH_{(aq)}$$ $$E° = 1,84\ V$$

Exercice 3

a) Réactifs:

$\qquad$ Na, H_2, non en solution aqueuse

Élément le moins électronégatif: Na

Élément le plus électronégatif: H

Degré d'oxydation du moins électronégatif: +1

Degré d'oxydation du plus électronégatif: -1

Demi-réactions:

$$Na_{(s)} \rightarrow Na^+ + e^-$$

$$H_{2(g)} + 2\,e^- \rightarrow 2\,H^-\quad \text{(oxydant)}$$

Équation de la réaction d'oxydoréduction:

$$2\,Na_{(s)} + H_{2(g)} \rightarrow 2\,NaH_{(s)}$$

b) Réactifs:

$\qquad$ N_2 et H_2 non en solution aqueuse

Élément le moins électronégatif: H

Élément le plus électronégatif: N

Degré d'oxydation du moins électronégatif: +1
Degré d'oxydation du plus électronégatif: -3

Demi-réactions:

$$N_{2(g)} + 6\ e^- \rightarrow\ 2\ N^{3-}$$

$$H_{2(g)} \rightarrow\ 2\ H^+ + 2\ e^-\ \text{(réducteur)}$$

Équation de la réaction d'oxydoréduction:

$$N_{2(g)} + 3\ H_{2(g)} \rightarrow\ 2\ NH_{3(g)}$$

c) Réactifs:

Cu_2O et H_2, non en solution aqueuse

Cu_2O: oxyde composé des ions Cu^+ et O^{2-}. L'ion Cu^+ peut recevoir des électrons:

$$Cu^+ + e^- \rightarrow\ Cu_{(s)}$$

H_2: non-métal qui peut quand même donner des électrons en présence de certains ions métalliques pour acquérir le degré d'oxydation +1 en tant que réducteur:

$$H_{2(g)} \rightarrow\ 2\ H^+ + 2\ e^-\ \text{(réducteur)}$$

Équation de la réaction d'oxydoréduction:

$$Cu_2O_{(s)} + H_{2(g)} \rightarrow\ 2\ Cu_{(s)} + H_2O_{(l)}$$

d) Réactifs:

Br_2 et H_2 non en solution aqueuse

Élément le moins électronégatif: ~~Br~~ H
Élément le plus électronégatif: ~~H~~ Br

Degré d'oxydation du moins électronégatif: +1
Degré d'oxydation du plus électronégatif: -1

Demi-réactions:

$$Br_{2(g)} + 2\ e^- \rightarrow\ 2\ Br^-$$

$$H_{2(g)} \rightarrow\ 2\ H^+ + 2\ e^-\ \text{(réducteur)}$$

Équation de la réaction d'oxydoréduction:

$$Br_{2(g)} + H_{2(g)} \rightarrow\ 2\ HBr_{(g)}$$

e) Réactifs:

PtO et H_2, non en solution aqueuse

PtO: oxyde métallique contenant les ions Pt^{2+} et O^{2-} où Pt^{2+} peut recevoir des électrons.

$$Pt^{2+} + 2\ e^- \rightarrow\ Pt_{(s)}$$

H_2: non-métal pouvant donner des électrons en tant que réducteur en présence de certains métaux.

$$H_{2(g)} \rightarrow\ 2\ H^+ + 2\ e^-\ \text{(réducteur)}$$

Équation de la réaction d'oxydoréduction:

$$PtO_{(s)} + H_{2(g)} \rightarrow\ Pt_{(s)} + H_2O_{(l)}$$

Exercice 4

La fabrication des engrais chimiques à partir du pétrole peut être représentée par les étapes suivantes:

a) l'industrie du pétrole fournit de l'hydrogène comme sous-produit;

b) une des utilisations de l'hydrogène est la fabrication de l'ammoniac;

c) l'ammoniac sert à la fabrication des sels d'ammonium et des nitrates, composés parmi les principaux retrouvés dans les engrais.

Par conséquent, une hausse du prix du pétrole entraîne donc une hausse du prix de l'hydrogène et, par le fait même, de l'ammoniac; d'où un prix plus élevé pour les engrais chimiques.

Exercice 5

a) Réactifs:

K et H_2 non en solution aqueuse

Élément le moins électronégatif: K

Élément le plus électronégatif: H

Degré d'oxydation du moins électronégatif: +1

Degré d'oxydation du plus électronégatif: -1

Demi-réactions:

$$K_{(s)} \rightarrow K^+ + e^-$$

$$H_{2(g)} \rightarrow 2\,H^+ + 2\,e^-$$

? $H_{2(g)} + 2e^{\ominus} \rightarrow 2\,H^-\,aq$

Équation de la réaction d'oxydoréduction:

$$2\,K_{(s)} + H_{2(g)} \rightarrow 2\,KH_{(s)}$$

Le produit obtenu appartient à la classe des hydrures ioniques puisqu'il s'agit d'un métal très peu électronégatif associé à l'hydrogène.

Le nom du composé est hydrure de potassium.

b) Réactifs:

F_2 et H_2

Élément le plus électronégatif: F

Élément le moins électronégatif: H

Degré d'oxydation du moins électronégatif: +1

Degré d'oxydation du plus électronégatif: -1

Demi-réactions:

$$F_{2(g)} + 2\,e^- \rightarrow 2\,F^-$$

$$H_{2(g)} \rightarrow 2\,H^+ + 2\,e^-$$

Équation de la réaction d'oxydoréduction:

$$F_{2(g)} + H_{2(g)} \rightarrow 2\,HF_{(g)}$$

Le composé formé est HF et il s'agit d'un acide puisque la différence d'électronégativité entre H et F est relativement grande et que l'hydrogène y possède le degré d'oxydation +1.

Le nom du composé est ~~acide fluorhydrique~~. *fluorure d'hydrogène.*

c) Réactifs:

Si et H_2 non en solution aqueuse

Élément le moins électronégatif: Si

Élément le plus électronégatif: H

Degré d'oxydation du moins électronégatif: +4

Degré d'oxydation du plus électronégatif: -1

Demi-réactions:

$$Si_{(s)} \rightarrow Si^{4+} + 4\ e^-$$

$$H_{2(g)} + 2\ e^- \rightarrow 2\ H^-$$

Équation de la réaction d'oxydoréduction:

$$Si_{(s)} + 2\ H_{2(g)} \rightarrow SiH_{4(g)}$$

Le composé formé est un hydrure (H^-) covalent non acide étant donné la faible différence d'électronégativité entre le silicium et l'hydrogène.

La formule du composé est SiH_4, lequel porte le nom spécifique de silane.

d) Réactifs:

N_2 et H_2

Élément le moins électronégatif: H

Élément le plus électronégatif: N

Degré d'oxydation du moins électronégatif: +1

Degré d'oxydation du plus électronégatif: -3

Demi-réactions:

$$H_{2(g)} \rightarrow 2\ H^+ + 2\ e^-$$

$$N_{2(g)} + 6\ e^- \rightarrow 2\ N^{3-}$$

Équation de la réaction d'oxydoréduction:

$$N_{2(g)} + 3\ H_{2(g)} \rightarrow 2\ NH_{3(g)}$$

La formule du produit obtenu s'écrit exceptionnellement NH_3 et non H_3N. NH_3 est un composé covalent non acide portant le nom spécifique d'ammoniac.

Exercice 6

Un ballon rempli d'hydrogène s'élève dans un atmosphère de néon puisque la masse volumique de l'hydrogène est inférieure à celle du néon. La masse volumique d'un gaz peut se calculer grâce à l'équation des gaz parfaits en isolant m/V:

Équation des gaz parfaits: $pV = nRT = mRT / M$
D'où: $\rho = m / V = pM / RT$

La masse volumique d'un gaz, ρ, est donc proportionnelle à sa masse molaire, M. La masse molaire de l'hydrogène, 2 g/mol, étant moins élevée que celle du néon, 20 g/mol, l'hydrogène est donc "plus léger" que le néon et, par conséquent, un ballon rempli d'hydrogène s'élève dans un atmosphère de néon.

Exercice 7

$V(H_2) = 1,00$ L
$T = 25,0°C$
$p = 101,3$ kPa
$m(Al) = ?$

Équation chimique équilibrée:

$$2\ Al_{(s)} + 6\ HCl_{(aq)} \rightarrow 2\ AlCl_{3(aq)} + 3\ H_{2(g)}$$

$n(H_2) = pV / RT$
$n(H_2) = (101,3$ kPa x $1,00$ L$) / (8,31$ kPa-L/K-mol $\times 298,0$ K$)$
$n(H_2) = 4,09 \times 10^{-2}$ mol

D'après l'équation équilibrée:
$n(Al) = n(H_2) \times 2/3 = 4,09 \times 10^{-2}$ mol $\times 2/3 = 2,73 \times 10^{-2}$ mol
$m(Al) = n(Al) \times M(Al) = 2,73 \times 10^{-2}$ mol $\times 26,9815$ g/mol $= 0,736$ g

Exercice 8

$T = 0°C$
$p = 103,5$ kPa
$m(minerai) = 1000$ kg
$\%\ WO_3 = 1,14\%$
$V(H_2) = ?$

Équation chimique équilibrée:

$$WO_{3(s)} + 3\ H_{2(g)} \rightarrow W_{(s)} + 3\ H_2O_{(l)}$$

$m(WO_3) = 1000$ kg $\times 1,14/100 = 11,4$ kg $= 1,14 \times 10^4$ g
$n(WO_3) = m(WO_3) / M(WO_3)$
$n\ (WO_3) = 1,14 \times 10^4$ g $/ 231,85$ g/mol $= 49,2$ mol

D'après l'équation chimique équilibrée:
$n(H_2) = 3\ n(WO_3) = 3 \times 49,2$ mol $= 1,48 \times 10^2$ mol
$V(H_2) = n(H_2)$ RT $/ p$
$V(H_2) = (1,48 \times 10^2$ mol $\times 8,31$ kPa-L/K-mol $\times 273$ K$) / 103,5$ kPa
$V(H_2) = 3,24 \times 10^3$ L

Exercice 9

$m(métal) = 0,050$ g
$V(H_2) = 50,4$ mL
$T = 21,0°C$
$p = 99,8$ kPa
métal alcalino-terreux $(X) = ?$

Équation chimique équilibrée:

$$X_{(s)} + 2\ HCl_{(aq)} \rightarrow XCl_{2(aq)} + H_{2(g)}$$

$n(H_2) = pV(H_2) / RT$

$n(H_2) = (99,8 \text{ kPa} \times 0,0504 \text{ L}) / (8,31 \text{ kPa-L/K-mol} \times 294,1 \text{ K})$

$n(H_2) = 2,06 \times 10^{-3} \text{ mol}$

D'après l'équation chimique équilibrée:

$n(X) = n(H_2) = 2,06 \times 10^{-3} \text{ mol}$

$M(X) = m(X) / n(X) = 0,050 \text{ g} / 2,06 \times 10^{-3} \text{ mol} = 24 \text{ g/mol}$

Le métal est donc le magnésium.

Exercice 10

Équations chimiques équilibrées:

$$Ca_{(s)} + 2\,HCl_{(aq)} \rightarrow CaCl_{2(aq)} + H_{2(g)}$$

$$Mg_{(s)} + 2\,HCl_{(aq)} \rightarrow MgCl_{2(aq)} + H_{2(g)}$$

Pour produire une mole d'hydrogène, il faut une mole de calcium, soit 40,08 g de calcium, ou une mole de magnésium, soit 24,305 g de magnésium. Par conséquent, pour obtenir une même quantité d'hydrogène, il faut une masse 1,649 fois plus grande (40,08 g / 24,305 g) de calcium que de magnésium.

Le rapport du coût (1,5) étant inférieur à 1,649, la préparation de l'hydrogène par le magnésium est moins coûteuse, même si son coût par gramme est plus élevé.

EXERCICES RÉSOLUS

Exercice 1

a) Réactifs: F_2 et H_2O, milieu neutre

Demi-réactions:

$$F_{2(g)} + 2\ e^- \rightarrow 2\ F^-_{(aq)} \qquad\qquad \varepsilon_T^\circ = 2,87\ V$$

$$2\ H_2O_{(l)} \rightarrow O_{2(g)} + 4\ H^+_{(aq)} + 4\ e^- \qquad\qquad \varepsilon_0 = -0,81\ V$$

Équation de la réaction d'oxydoréduction:

$$2\ F_{2(g)} + 2\ H_2O_{(l)} \rightarrow 4\ HF_{(aq)} + O_{2(g)} \qquad\qquad E = 2,06\ V$$

b) Réactifs: Br_2 et H_2O, milieu neutre

Demi-réactions:

$$Br_{2(l)} + 2\ e^- \rightarrow 2\ Br^-_{(aq)} \qquad\qquad \varepsilon_T^\circ = 1,06\ V$$

$$2\ H_2O_{(l)} \rightarrow O_{2(g)} + 4\ H^+_{(aq)} + 4\ e^- \qquad\qquad \varepsilon_0 = -0,81\ V$$

Équation de la réaction d'oxydoréduction:

$$2\ Br_{2(l)} + 2\ H_2O_{(l)} \rightarrow 4\ HBr_{(aq)} + O_{2(g)} \qquad\qquad E = 0,25\ V$$

Toutefois, nous savons que le brome, dans l'eau, donne lieu à l'équilibre suivant (p.188):

$$Br_{2(l)} + H_2O_{(l)} \rightleftharpoons HBrO_{(aq)} + HBr_{(aq)}$$

Cette équation implique que l'oxygène produit par la réaction du brome avec l'eau a oxydé le brome de -1 à +1 selon la réaction:

$$2\ HBr_{(aq)} + O_{2(g)} \rightarrow 2\ HBrO_{(aq)}$$

La réaction du brome dans l'eau est donc la somme de ces deux dernières réactions, soit l'équation chimique suivante:

$$2\ Br_{2(l)} + 2\ H_2O_{(l)} \rightarrow 2\ HBr_{(aq)} + 2\ HBrO_{(aq)}$$

D'où:

$$Br_{2(l)} + H_2O_{(l)} \rightleftharpoons HBr_{(aq)} + HBrO_{(aq)}$$

Une réaction similaire de l'acide fluorhydrique, HF, avec l'oxygène dans l'eau ne peut pas se produire puisque le fluor, élément le plus électronégatif, ne peut pas être oxydé et, par conséquent, il ne peut pas prendre de degré d'oxydation positif.

Exercice 2

Le brome, dans l'eau, subit un équilibre semblable à celui du chlore dans l'eau, soit:

$$Br_{2(l)} + H_2O_{(l)} \rightleftharpoons HBr_{(aq)} + HBrO_{(aq)}$$

La lumière agit sur l'acide hypobromeux, HBrO, selon l'équation suivante:

$$2\ HBrO_{(aq)} \rightarrow 2\ HBr_{(aq)} + O_{2(g)}$$

Exercice 3

Sel de table: NaCl

Teinture d'iode: I_2 et KI en solution dans l'alcool

Eau de Javel: $NaClO_{(aq)}$

Fluorure dans les dentifrices: NaF

Etc.

Exercice 4

a) Réactifs: NaBr et Cl_2 en solution aqueuse, milieu neutre

   Demi-réactions possibles:

   $$Na^+_{(aq)} + e^- \rightarrow Na_{(s)} \qquad\qquad \varepsilon_r^\circ = -2,71\ V$$
   $$2\ Br^-_{(aq)} \rightarrow Br_{2(l)} + 2\ e^- \qquad\qquad \varepsilon_o^\circ = -1,06\ V$$
   $$Cl_{2(g)} + 2\ e^- \rightarrow 2\ Cl^-_{(aq)} \qquad\qquad \varepsilon_r^\circ = 1,36\ V$$

   Le plus fort des oxydants étant le chlore et le réducteur étant l'ion bromure, l'équation de la réaction d'oxydoréduction est:

   $$2\ NaBr_{(aq)} + Cl_{2(g)} \rightarrow Br_{2(l)} + 2\ NaCl_{(aq)} \qquad\qquad E^\circ = 0,30\ V$$

b) Réactifs: KF et I_2 en solution aqueuse, milieu neutre.

   Demi-réactions possibles:

   $$K^+_{(aq)} + e^- \rightarrow K_{(s)} \qquad\qquad \varepsilon_r^\circ = -2,92\ V$$
   $$I_{2(s)} + 2\ e^- \rightarrow 2\ I^-_{(aq)} \qquad\qquad \varepsilon_r^\circ = 0,53\ V$$
   $$2\ F^-_{(aq)} \rightarrow F_{2(g)} + 2\ e^- \qquad\qquad \varepsilon_o^\circ = -2,87\ V$$
   $$2\ H_2O_{(l)} \rightarrow O_{2(g)} + 4\ H^+_{(aq)} + 4\ e^- \qquad\qquad \varepsilon_o = -0,81\ V$$
   $$2\ H_2O_{(l)} + 2\ e^- \rightarrow H_{2(g)} + 2\ OH^-_{(aq)} \qquad\qquad \varepsilon_r = -0,41\ V$$

   L'oxydant le plus fort est l'iode et le réducteur le plus fort l'eau. Toutefois, le potentiel global de la réaction entre ces espèces est négatif:

   $$E = 0,53\ V - 0,81\ V = -0,28\ V$$

   Par conséquent, il n'y a pas de réaction spontanée entre ces réactifs.

c) Réactifs: $MgCl_2$ et Br_2 en solution aqueuse, milieu neutre.

   Demi-réactions:

   $$Mg^{2+}_{(aq)} + 2\ e^- \rightarrow Mg_{(s)} \qquad\qquad \varepsilon_r^\circ = -2,37\ V$$
   $$2\ Cl^-_{(aq)} \rightarrow Cl_{2(g)} + 2\ e^- \qquad\qquad \varepsilon_o^\circ = -1,36\ V$$
   $$Br_{2(l)} + 2\ e^- \rightarrow 2\ Br^-_{(aq)} \qquad\qquad \varepsilon_r^\circ = 1,06\ V$$

L'oxydant le plus fort est le brome et le réducteur, l'ion chlorure. Toutefois, le potentiel global de la réaction entre ces deux espèces est négatif:

$$E = 1,06V - 1,36 V = - 0,30 V$$

Par conséquent, il n'y a pas de réaction spontanée entre ces réactifs.

d) Réactifs: KI et Cl_2 en solution aqueuse, milieu neutre.

Demi- réactions possibles:

$$K^+_{(aq)} + e^- \rightarrow K_{(s)} \qquad\qquad \varepsilon_T^° = -2,92 \text{ V}$$

$$2 I^-_{(aq)} \rightarrow I_{2(s)} + 2 e^- \qquad\qquad \varepsilon_0^° = -0,53 \text{ V}$$

$$Cl_{2(g)} + 2 e^- \rightarrow 2 Cl^-_{(aq)} \qquad\qquad \varepsilon_T^° = 1,36 \text{ V}$$

Le plus fort des oxydants est le chlore et le réducteur, l'ion iodure. La réaction entre ces deux espèces est spontanée, le potentiel global étant positif:

$$Cl_{2(g)} + 2 KI_{(aq)} \rightarrow I_{2(s)} + 2 KCl_{(aq)} \qquad\qquad E^° = 0,83 \text{ V}$$

Exercice 5

a) Réactifs: Ni et HBr en solution aqueuse, milieu acide.

Demi-réactions possibles:

$$Ni_{(s)} \rightarrow Ni^{2+}_{(aq)} + 2 e^- \qquad\qquad \varepsilon_0^° = 0,25 \text{ V}$$

$$2 H^+_{(aq)} + 2 e^- \rightarrow H_{2(g)} \qquad\qquad \varepsilon_T^° = 0,00 \text{ V}$$

$$2 Br^-_{(aq)} \rightarrow Br_{2(l)} + 2 e^- \qquad\qquad \varepsilon_0^° = -1,06 \text{ V}$$

$$2 H_2O_{(l)} \rightarrow O_{2(g)} + 4 H^+_{(aq)} + 4 e^- \qquad\qquad \varepsilon_0^° = -1,23 \text{ V}$$

Le plus fort des réducteurs est le nickel et l'oxydant, l'ion H^+. La réaction entre ces deux espèces est spontanée, le potentiel globale étant positif:

$$Ni_{(s)} + 2 HBr_{(aq)} \rightarrow NiBr_{2(aq)} + H_{2(g)} \qquad\qquad E^° = 0,25 \text{ V}$$

b) Réactifs: HClO et HI en solution aqueuse, milieu acide.

Demi-réactions possibles:

$$HClO_{(aq)} + H^+_{(aq)} + 2 e^- \rightarrow Cl^-_{(aq)} + H_2O_{(l)} \qquad\qquad \varepsilon_T^° = 1,49 \text{ V}$$

$$2 H^+_{(aq)} + 2 e^- \rightarrow H_{2(g)} \qquad\qquad \varepsilon_T^° = 0,00 \text{ V}$$

$$2 I^-_{(aq)} \rightarrow I_{2(s)} + 2 e^- \qquad\qquad \varepsilon_0^° = -0,53 \text{ V}$$

$$2 H_2O_{(l)} \rightarrow O_{2(g)} + 4 H^+_{(aq)} + 4 e^- \qquad\qquad \varepsilon_0^° = -1,23 \text{ V}$$

Il y a réaction spontanée entre l'oxydant le plus fort, HClO, et le réducteur le plus fort, I^-, puisque le potentiel global est positif:

$$HClO_{(aq)} + 2 HI_{(aq)} \rightarrow I_{2(aq)} + HCl_{(s)} + H_2O_{(l)} \qquad\qquad E^° = 0,96 \text{ V}$$

c) Réactifs: $K_2S_2O_3$ et I_2, en solution aqueuse, milieu neutre

Demi-réactions possibles:

$$K^+_{(aq)} + e^- \rightarrow K_{(s)} \qquad\qquad \varepsilon_T^° = -2,92 \text{ V}$$

$$2 S_2O_3^{2-}_{(aq)} \rightarrow S_4O_6^{2-}_{(aq)} + 2 e^- \qquad\qquad \varepsilon_0^° = - 0,08 \text{ V}$$

$$I_{2(s)} + 2 e^- \rightarrow 2 I^-_{(aq)} \qquad\qquad \varepsilon_T^° = 0,53 \text{ V}$$

$$2 H_2O_{(l)} \rightarrow O_{2(g)} + 4 H^+_{(aq)} + 4 e^- \qquad\qquad \varepsilon_0 = -0,81 \text{ V}$$

$$2 H_2O_{(l)} + 2 e^- \rightarrow H_{2(g)} + 2 OH^-_{(aq)} \qquad\qquad \varepsilon_T = -0,41 \text{ V}$$

Il y a réaction spontanée entre l'oxydant le plus fort, I_2, et le réducteur le plus fort, $S_2O_3^{2-}$, puisque le potentiel global est alors positif:

$$I_{2(s)} + 2\,K_2S_2O_{3(aq)} \rightarrow K_2S_4O_{6(aq)} + 2\,KI_{(aq)} \qquad\qquad E° = 0,45\ V$$

d) Réactifs: HI et $Mg(OH)_2$, en solution aqueuse.

Ions composant les réactifs: H^+, I^-, Mg^{2+}, OH^-

En substituant l'ion H^+ par l'ion Mg^{2+}, on obtient l'équation suivante:

$$Mg(OH)_{2(s)} + 2\,HI_{(aq)} \rightarrow MgI_{2(aq)} + 2\,H_2O_{(l)}$$

Cette réaction de substitution est spontanée puisque, parmi les produits, se trouve un électrolyte plus faible, H_2O, que les réactifs.

e) Réactifs: Ag_2O et HF en solution aqueuse, milieu acide.

Ions composant les réactifs: Ag^+, O^{2-}, H^+, F^-

Équation de la réaction de substitution en remplaçant l'ion Ag^+ par H^+:

$$Ag_2O_{(s)} + 2\,HF_{(aq)} \rightarrow 2\,AgF_{(s)} + H_2O_{(l)}$$

Cette réaction de substitution est spontanée puisque, parmi les produits se retrouvent un électrolyte plus faible, H_2O, que chez les réactifs.

f) Réactifs: $NaIO_3$ et HI en solution aqueuse, milieu acide.

Ions composant les réactifs: Na^+, IO_3^-, H^+, I^-.

Équation de la réaction de substitution en remplaçant l'ion Na^+ par l'ion H^+:

$$NaIO_{3(aq)} + HI_{(aq)} \rightarrow HIO_{3(aq)} + NaI_{(aq)}$$

Cette réaction de substitution n'est pas spontanée puisque les produits ne sont pas des électrolytes faibles. Vérifions la possibilité d'une réaction d'oxydoréduction.

Demi-réactions possibles:

$$Na^+_{(aq)} + e^- \rightarrow Na_{(s)} \qquad\qquad \varepsilon_r° = -2,71\ V$$

$$2\,HIO_{3(aq)} + 10\,H^+_{(aq)} + 10\,e^- \rightarrow I_{2(s)} + 6\,H_2O_{(l)} \qquad\qquad \varepsilon_r° = 1,20\ V$$

$$2\,H^+_{(aq)} + 2\,e^- \rightarrow H_{2(g)} \qquad\qquad \varepsilon_r° = 0,00\ V$$

$$2\,I^-_{(aq)} \rightarrow I_{2(s)} + 2\,e^- \qquad\qquad \varepsilon_o° = -0,53\ V$$

Il y a réaction d'oxydoréduction spontanée puisque le potentiel global entre le meilleur oxydant, IO_3^-, et le meilleur réducteur, I^-, est positif ($E° = 0,67\ V$):

$$6\,HI_{(aq)} + NaIO_{3(aq)} \rightarrow 3\,I_{2(s)} + 3\,H_2O_{(l)} + NaI_{(aq)}$$

g) Réactifs: $HClO_3$ et $SnCl_2$ en solution aqueuse, milieu acide.

Ions composant les réactifs: H^+, ClO_3^-, Sn^{2+}, Cl^-

Équation de la réaction de substitution en remplaçant l'ion H^+ par l'ion Sn^{2+}:

$$2\,HClO_{3(aq)} + SnCl_{2(aq)} \rightarrow Sn(ClO_3)_{2(aq)} + 2\,HCl_{(aq)}$$

Cette réaction de substitution n'est pas spontanée puisque, parmi les produits, ne se retrouve pas d'électrolyte faible. Vérifions la possibilité d'une réaction d'oxydoréduction.

Demi-réactions possibles:

$$2\,H^+_{(aq)} + 2\,e^- \rightarrow H_{2(g)} \qquad\qquad \varepsilon_r° = 0,00\ V$$

$$ClO_3^-{}_{(aq)} + 6\,H^+_{(aq)} + 6\,e \rightarrow Cl^-_{(aq)} + 3\,H_2O_{(l)} \qquad\qquad \varepsilon_r° = 1,45\ V$$

$$\text{Sn}^{2+}_{(aq)} + 2 \text{ e}^- \rightarrow \text{ Sn}_{(s)} \qquad\qquad \varepsilon_T{}^\circ = -0{,}14 \text{ V}$$

$$\text{Sn}^{2+}_{(aq)} \rightarrow \text{ Sn}^{4+}_{(aq)} + 2 \text{ e}^- \qquad\qquad \varepsilon_0{}^\circ = -0{,}15 \text{ V}$$

$$2 \text{ Cl}^-_{(aq)} \rightarrow \text{ Cl}_{2(g)} + 2 \text{ e}^- \qquad\qquad \varepsilon_0{}^\circ = -1{,}36 \text{ V}$$

$$\text{Cl}^-_{(aq)} + 4 \text{ H}_2\text{O}_{(l)} \rightarrow \text{ ClO}_4{}^-_{(aq)} + 8 \text{ H}^+_{(aq)} + 8 \text{ e}^- \qquad\qquad \varepsilon_0{}^\circ = -1{,}39 \text{ V}$$

$$\text{Cl}^-_{(aq)} + 3 \text{ H}_2\text{O}_{(l)} \rightarrow \text{ ClO}_3{}^-_{(aq)} + 6 \text{ H}^+_{(aq)} + 6 \text{ e}^- \qquad\qquad \varepsilon_0{}^\circ = -1{,}45 \text{ V}$$

$$\text{Cl}^-_{(aq)} + \text{ H}_2\text{O}_{(l)} \rightarrow \text{ HClO}_{(aq)} + \text{ H}^+_{(aq)} + 2 \text{ e}^- \qquad\qquad \varepsilon_0{}^\circ = -1{,}49 \text{ V}$$

$$\text{Cl}^-_{(aq)} + 2 \text{ H}_2\text{O}_{(l)} \rightarrow \text{ HClO}_{2(aq)} + 3 \text{ H}^+_{(aq)} + 4 \text{ e}^- \qquad\qquad \varepsilon_0{}^\circ = -1{,}57 \text{ V}$$

L'oxydant le plus fort est l'ion $\text{ClO}_3{}^-$ et le réducteur le plus fort Sn^{2+} devenant Sn^{4+}. La réaction représentée par l'équation suivante est spontanée et se produit préférentiellement ($E^\circ = 1{,}30$ V):

$$\text{ClO}_3{}^-_{(aq)} + 6 \text{ H}^+_{(aq)} + 3 \text{ Sn}^{2+}_{(aq)} \rightarrow \text{ Cl}^-_{(aq)} + 3 \text{ H}_2\text{O}_{(l)} + 3 \text{ Sn}^{4+}_{(aq)}$$

h) Réactifs: $\text{K}_2\text{Cr}_2\text{O}_7$, KCl et H_2SO_4 en solution aqueuse, milieu acide.

Ions composant les réactifs: K^+, $\text{Cr}_2\text{O}_7{}^{2-}$, K^+, Cl^-, H^+, $\text{SO}_4{}^{2-}$

Aucune substitution d'ions positifs chez les réactifs ne conduit à un électrolyte faible chez les produits; il n'y a donc pas de réaction de substitution spontanée. Considérons donc la possibilité d'une réaction d'oxydoréduction.

Demi-réactions:

$$\text{K}^+_{(aq)} + \text{e}^- \rightarrow \text{ K}_{(s)} \qquad\qquad \varepsilon_T{}^\circ = -2{,}92 \text{ V}$$

$$\text{Cr}_2\text{O}_7{}^{2-}_{(aq)} + 14 \text{ H}^+_{(aq)} + 6 \text{ e}^- \rightarrow 2 \text{ Cr}^{3+}_{(aq)} + 7 \text{ H}_2\text{O}_{(l)} \qquad\qquad \varepsilon_T{}^\circ = 1{,}33 \text{ V}$$

$$2 \text{ Cl}^-_{(aq)} \rightarrow \text{ Cl}_{2(g)} + 2 \text{ e}^- \qquad\qquad \varepsilon_0{}^\circ = -1{,}36 \text{ V}$$

$$\text{Cl}^-_{(aq)} + 4 \text{ H}_2\text{O}_{(l)} \rightarrow \text{ ClO}_4{}^-_{(aq)} + 8 \text{ H}^+_{(aq)} + 8 \text{ e}^- \qquad\qquad \varepsilon_0{}^\circ = -1{,}39 \text{ V}$$

$$\text{Cl}^-_{(aq)} + 3 \text{ H}_2\text{O}_{(l)} \rightarrow \text{ ClO}_3{}^-_{(aq)} + 6 \text{ H}^+_{(aq)} + 6 \text{ e}^- \qquad\qquad \varepsilon_0{}^\circ = -1{,}45 \text{ V}$$

$$\text{Cl}^-_{(aq)} + \text{ H}_2\text{O}_{(l)} \rightarrow \text{ HClO}_{(aq)} + \text{ H}^+_{(aq)} + 2 \text{ e}^- \qquad\qquad \varepsilon_0{}^\circ = -1{,}49 \text{ V}$$

$$\text{Cl}^-_{(aq)} + 2 \text{ H}_2\text{O}_{(l)} \rightarrow \text{ HClO}_{2(aq)} + 3 \text{ H}^+_{(aq)} + 4 \text{ e}^- \qquad\qquad \varepsilon_0{}^\circ = -1{,}57 \text{ V}$$

$$2 \text{ H}^+_{(aq)} + 2 \text{ e}^- \rightarrow \text{ H}_{2(g)} \qquad\qquad \varepsilon_T{}^\circ = 0{,}00 \text{ V}$$

$$2 \text{ SO}_4{}^{2-}_{(aq)} \rightarrow \text{ S}_2\text{O}_8{}^{2-}_{(aq)} + 2 \text{ e}^- \qquad\qquad \varepsilon_0{}^\circ = -2{,}01 \text{ V}$$

$$\text{SO}_4{}^{2-}_{(aq)} + 4 \text{ H}^+_{(aq)} + 2 \text{ e}^- \rightarrow \text{ SO}_{2(g)} + \text{H}_2\text{O}_{(l)} \qquad\qquad \varepsilon_T{}^\circ = 0{,}17 \text{ V}$$

L'oxydant le plus fort est l'ion dichromate, $\text{Cr}_2\text{O}_7{}^{2-}$, et le réducteur le plus fort l'ion chlorure, Cl^-. La réaction d'oxydoréduction entre ces deux espèces donne un potentiel global négatif:

$$E^\circ = 1{,}33 \text{ V} - 1{,}36 \text{ V} = -0{,}03 \text{ V}$$

Donc, aux conditions standard, il ne se produit pas de réaction spontanée entre ces produits. Cependant, si la concentration des ions Cl^- était suffisamment augmentée, la réaction pourrait avoir lieu spontanément.

Exercice 6

Le fluor ne peut pas être préparé par électrolyse en solution aqueuse, parce que, aussitôt formé, celui-ci réagirait avec l'eau comme le montre les équations suivantes:

Demi-réactions:

$$F_{2(g)} + 2\ e^- \rightarrow 2\ F^-_{(aq)} \qquad\qquad \varepsilon_r^\circ = 2,87\ V$$

$$2\ H_2O_{(l)} \rightarrow O_{2(g)} + 4\ H^+_{(aq)} + 4\ e^- \qquad\qquad \varepsilon_o = -0,81\ V$$

Équation de la réaction globale:

$$2\ F_{2(g)} + 2\ H_2O_{(l)} \rightarrow O_{2(g)} + 4\ HF_{(aq)} \qquad\qquad E = 2,06\ V$$

D'autre part, il ne peut pas être préparé par oxydation chimique, car il n'existe pas d'oxydant chimique suffisamment fort pour oxyder l'ion fluorure, F^-, en fluor moléculaire, F_2. Un tel oxydant devrait être plus fort que le fluor, F_2, le plus puissant des oxydants connus.

Exercice 7

a) Réactifs: Cl_2 et P_4, non en solution aqueuse.

Élément le moins électronégatif: P
Élément le plus électronégatif: Cl

Degré d'oxydation du moins électronégatif: +3 et +5 .
Degré d'oxydation du plus électronégatif: -1

Demi-réactions:

$$P_{4(s)} \rightarrow 4\ P^{3+} + 12\ e^-$$

$$P_{4(s)} \rightarrow 4\ P^{5+} + 20\ e^-$$

$$Cl_{2(g)} + 2\ e^- \rightarrow 2\ Cl^-$$

Équations des réactions d'oxydoréduction:

$$P_{4(s)} + 6\ Cl_{2(g)} \rightarrow 4\ PCl_{3(l)}$$

$$P_{4(s)} + 10\ Cl_{2(g)} \rightarrow 4\ PCl_{5(g)}$$

La première réaction peut être favorisée en présence d'un excès de chlore; cependant, en présence d'un excès de phosphore, c'est plutôt la seconde qui est favorisée.

b) Réactifs: Cl_2 et H_2, non en solution aqueuse.

Élément le moins électronégatif: H
Élément le plus électronégatif: Cl

Degré d'oxydation du moins électronégatif: +1
Degré d'oxydation du plus électronégatif: -1

Demi-réactions:

$$Cl_{2(g)} + 2\ e^- \rightarrow 2\ Cl^-$$

$$H_{2(g)} \rightarrow 2\ H^+ + 2\ e^-$$

Équation de la réaction d'oxydoréduction:

$$Cl_{2(g)} + H_{2(g)} \rightarrow 2\ HCl_{(g)}$$

c) Réactifs: Cl_2 et S_8, non en solution aqueuse.

Élément le moins électronégatif: S
Élément le plus électronégatif: Cl

Degré d'oxydation du moins électronégatif: +4 et +6
Degré d'oxydation du plus électronégatif: -1

Demi-réactions:

$$S_{8(s)} \rightarrow 8\ S^{4+} + 32\ e^-$$

$$S_{8(s)} \rightarrow 8\ S^{6+} + 48\ e^-$$

$$Cl_{2(g)} + 2\ e^- \rightarrow 2\ Cl^-$$

Équation de la réaction d'oxydoréduction:

$$S_{8(s)} + 16\ Cl_{2(g)} \rightarrow 8\ SCl_{4(l)}$$

Le chlore étant trop volumineux pour que six atomes prennent place autour d'un atome de soufre, l'hexachlorure de soufre, SCl_6, ne peut pas se former.

d) Réactifs: Cl_2 et Mg, non en solution aqueuse.

Élément le moins électronégatif: Mg
Élément le plus électronégatif: Cl

Degré d'oxydation du moins électronégatif: +2
Degré d'oxydation du plus électronégatif: -1

Demi-réactions:

$$Mg_{(s)} \rightarrow Mg^{2+} + 2\ e^-$$

$$Cl_{2(g)} + 2\ e^- \rightarrow 2\ Cl^-$$

Équation de la réaction d'oxydoréduction:

$$Mg_{(s)} + Cl_{2(g)} \rightarrow MgCl_{2(s)}$$

Exercice 8

a) Réactifs: MgO et HCl, en solution aqueuse, milieu acide

Ions composant les réactifs: Mg^{2+}, O^{2-}, H^+, Cl^-

En substituant l'ion Mg^{2+} par l'ion H^+, on obtient la réaction de substitution représentée par l'équation suivante:

$$MgO_{(s)} + 2\ HCl_{(aq)} \rightarrow MgCl_{2(aq)} + H_2O_{(l)}$$

Cette réaction est spontanée puisque, parmi les produits, se trouve l'électrolyte plus faible, H_2O.

b) Réactifs: $CaCO_3$ et HCl, en solution aqueuse, milieu acide.

Ions composant les réactifs: Ca^{2+}, CO_3^{2-}, H^+, Cl^-

En remplaçant l'ion Ca^{2+} par l'ion H^+, on obtient la réaction de substitution représentée par l'équation suivante:

$$CaCO_{3(s)} + 2\ HCl_{(aq)} \rightarrow H_2CO_{3(aq)} + CaCl_{2(aq)}$$

La forme prédominante dans une solution d'acide carbonique est le dioxyde de carbone, CO_2; d'où:

$$H_2CO_{3(aq)} \rightarrow CO_{2(g)} + H_2O_{(l)}$$

L'équation de la réaction globale est donc la suivante:

$$CaCO_{3(s)} + 2\ HCl_{(aq)} \rightarrow CaCl_{2(aq)} + CO_{2(g)} + H_2O_{(l)}$$

Cette réaction est spontanée puisque, parmi les produits, se trouve l'électrolyte faible, H_2O.

Exercice 9

Les acides chlorés sont: HCl, $HClO$, $HClO_2$, $HClO_3$, $HClO_4$.

La demi-réaction possible avec l'argent est:

$$Ag_{(s)} \rightarrow Ag^+_{(aq)} + e^- \qquad\qquad \varepsilon_0° = -\,0,80\ V$$

Pour réagir avec l'argent, il faut donc un oxydant dont le potentiel de réduction est supérieur à 0,80 V. $HClO$, $HClO_2$ et ClO_3^- et ClO_4^- en milieu acide ont des potentiels de réduction respectivement égaux à 1,49 V, 1,57 V, 1,45 V et 1,39 V. Par conséquent, les acides correspondants pourraient réagir avec l'argent.

Par contre, HCl ne peut pas réagir avec l'argent, le potentiel de réduction de H^+ qui est égal à 0,00 V étant inférieur à 0,80 V et Cl^- ne pouvant pas se réduire. L'eau ne réagit pas avec Ag puisque son potentiel de réduction est -0,81V.

Exercice 10

$n(KMnO_4) = 0,100\ mol$
$T = 25,0°C$
$p = 101,3\ kPa$
$V(Cl_2) = ?$

Réactifs: $KMnO_4$ et HCl en solution aqueuse, milieu acide.

Produit: Cl_2

Ions composant les réactifs: K^+, MnO_4^-, H^+, Cl^-

La réaction qui se produit en est une d'oxydoréduction puisque le chlore passe de -1 à 0.

Demi-réactions, en tenant du produit Cl_2:

$$MnO_4^-{}_{(aq)} + 4\ H^+{}_{(aq)} + 3\ e^- \rightarrow MnO_{2(s)} + 2\ H_2O_{(l)} \qquad \varepsilon_r° = 1,69\ V$$

$$MnO_4^-{}_{(aq)} + 8\ H^+{}_{(aq)} + 5\ e^- \rightarrow Mn^{2+}{}_{(aq)} + 4\ H_2O_{(l)} \qquad \varepsilon_r° = 1,51\ V$$

$$2\ Cl^-{}_{(aq)} \rightarrow Cl_{2(g)} + 2\ e^- \qquad \varepsilon_0° = -1,36\ V$$

En présence d'un excès d'acide chlorhydrique, c'est la seconde demi-réaction de réduction qui est favorisée:

$$2\ MnO_4^-{}_{(aq)} + 16\ H^+{}_{(aq)} + 10\ Cl^-{}_{(aq)} \rightarrow 2\ Mn^{2+}{}_{(s)} + 8\ H_2O_{(l)} + 5\ Cl_{2(g)}$$

D'après l'équation équilibrée:

$n(Cl_2) = n(KMnO_4) \times 5/2 = 0,100\ mol \times 5/2 = 0,250\ mol$
$V(Cl_2) = n(Cl_2)\ RT/p$
$V(Cl_2) = (0,250\ mol \times 8,31\ kPa\text{-}L/\text{-}mol \times 298,1\ K / 101,3\ kPa)$
$V(Cl_2) = 6,11\ L$

Exercice 11

$p(I_2) = 1,33$ kPa
$T = 73°C$
$V = 1,00$ L
$m(I_2) = ?$

$p(I_2)\ V = n(I_2)\ RT = m(I_2)\ RT\ /\ M(I_2)$

$m(I_2) = p(I_2)\ V\ M(I_2)\ /\ RT$
$m(I_2) = (1,33$ kPa $\times 1,00$ L $\times 253,808$ g/mol$)\ /\ (8,31$ kPa-L/K-mol $\times 346$ K$)$
$m(I_2) = 0,117$ g

Exercice 12

%(Cl) dans le produit = 37,4 %
%(Sn) dans le produit = 100% - 37,4% = 62,6%
Formule empirique = ?

Dans 100 g de produit, il y aurait:
$m(Cl) = 100$ g $\times 0,374 = 37,4$ g
$n(Cl) = m(Cl)\ /\ M(Cl)$
$n(Cl) = 37,4$ g $/\ (35,453$ g/mol$) = 1,05$ mol
$m(Sn) = 100$ g $\times 0,626 = 62,6$ g
$n(Sn) = m(Sn)\ /\ M(Sn) = 62,6$ g $/\ (118,69$ g/mol$) = 0,527$ mol

Formule: $Sn_{0,527}Cl_{1,05}$
En divisant par 0,527 chacun des indices, la formule empirique devient $Sn_1Cl_{1,99}$ ou $SnCl_2$.

Exercice 13

$V(Br_2) = 10,0$ cm³
$\rho(Br_2) = 3,119$ g/cm³
$c(KBr_{(aq)}) = 0,100$ mol/L
$V(KBr_{(aq)}) = ?$

Réactifs: KBr, eau de Cl_2, en solution aqueuse, milieu neutre.
Produit: Br_2

Demi-réactions possibles:

$$K^+_{(aq)} + e^- \rightarrow K_{(s)} \qquad\qquad \varepsilon_T^° = -2,92\ V$$

$$2\ Br^-_{(aq)} \rightarrow Br_{2(l)} + 2\ e^- \qquad\qquad \varepsilon_0^° = -1,06\ V$$

$$Cl_{2(g)} + 2\ e^- \rightarrow 2\ Cl^-_{(aq)} \qquad\qquad \varepsilon_T^° = 1,36\ V$$

Équation de la réaction d'oxydoréduction:

$$2\ KBr_{(aq)} + Cl_{2(g)} \rightarrow 2\ KCl_{(aq)} + Br_{2(l)}$$

$m(Br_2) = \rho(Br_2) \times V(Br_2) = 3,119$ g/cm³ $\times 10,0$ cm³ $= 31,2$ g
$n(Br_2) = m(Br_2)\ /\ M(Br_2)$
$n(Br_2) = 31,2$ g $/\ (159,808$ g/mol$) = 0,195$ mol

$n(KBr) = 2 \ n(Br_2) = 2 \times 0,195 \ mol = 0,390 \ mol$

$V(KBr_{(aq)}) = n(KBr) / c(KBr_{(aq)})$

$V(KBr) = 0,390 \ mol / (0,100 \ mol/L) = 3,90 \ L$

Exercice 14

$T = 25,0°C$

$p = 101,3 \ kPa$

$V(NaOH_{(aq)}) = 100 \ cm^3$

$c(NaOH_{(aq)}) = 10,0 \ mol/L$

$V(Cl_2) = ?$

Équation équilibrée de la réaction d'électrolyse:

$$2 \ NaCl_{(aq)} + 2 \ H_2O_{(l)} \ \rightarrow \ Cl_{2(g)} + 2 \ NaOH_{(aq)} + H_{2(g)}$$

$n(NaOH) = c(NaOH_{(aq)}) \ V(NaOH_{(aq)})$

$n(NaOH) = 10,0 \ mol/L \times 0,100 \ L = 1,00 \ mol$

$n(Cl_2) = n(NaOH) \times 1/2 = 1,00 \ mol \times 1/2 = 0,500 \ mol$

$V(Cl_2) = n(Cl_2) \ RT / p$

$V(Cl_2) = (0,500 \ mol \times 8,31 \ kPa\text{-}L/K\text{-}mol \times 298,1 \ K) / 101,3 \ kPa = 12,2 \ L$

Exercice 15

$m(I_2) = 0,200 \ kg$ ou $200 \ g$

$\% \ KIO_3 = 1,10\%$

$m(minerai) = ?$

À partir des iodates, c'est par réduction chimique à l'aide de l'ion hydro-génosulfite, que l'on produit l'iode moléculaire, I_2. L'équation ionique nette de la réaction est:

$$2 \ IO_3^-{}_{(aq)} + 5 \ SO_{2(g)} + 4 \ H_2O_{(l)} \ \rightarrow \ I_{2(s)} + 5 \ SO_4^{2-}{}_{(aq)} + 8 \ H^+{}_{(aq)}$$

$n(I_2) = m(I_2) / M(I_2) = 200 \ g / (253,808 \ g/mol) = 0,788 \ mol$

$n(IO_3^-) = 2 \ n(I_2) = 2 \times 0,788 \ mol = 1,58 \ mol$

$m(KIO_3) = n(KIO_3) \times M(KIO_3)$

$m(KIO_3) = 1,58 \ mol \times 214,000 \ g/mol = 338 \ g$

$m(minerai) = (338 \ g \times 100) / 1,10 = 30 \ 727 \ g$ ou $30,7 \ kg$

EXERCICES RÉSOLUS

Exercice 1

Réactif: $KClO_3$

Produit: O_2

Dans ce réactif, le chlore est au degré d'oxydation +5 et l'oxygène au degré d'oxydation –2. Pour obtenir de l'oxygène moléculaire, O_2, au degré d'oxydation 0, la demi-réaction suivante doit se produire:

$$2\ O^{2-}\ \rightarrow\ O_{2(g)} + 4\ e^-$$

Le chlore dont l'affinité électronique est très grande (plus que le potassium) a tendance à prendre le degré d'oxydation –1, d'où la demi-réaction suivante:

$$Cl^{+5} + 6\ e^-\ \rightarrow\ Cl^-$$

L'équation équilibrée de la réaction d'oxydoréduction est:

$$2\ KClO_{3(s)} + \text{chaleur}\ \rightarrow\ 2\ KCl_{(s)} + 3\ O_{2(g)}$$

Exercice 2

L'oxygène, le plus électronégatif des éléments après le fluor, peut aller chercher des électrons à chacun des éléments (excepté le fluor) pour former des oxydes, selon la demi-réaction suivante:

$$O_{2(g)} + 4\ e^-\ \rightarrow\ 2\ O^{2-}\ \text{(ion oxyde)}$$

a) Réactifs: Al et O_2, non en solution aqueuse

Élément le moins électronégatif: Al

Élément le plus électronégatif: O

Degré d'oxydation du moins électronégatif: +3

Degré d'oxydation du plus électronégatif: -2

Demi-réactions:

$$Al_{(s)}\ \rightarrow\ Al^{3+} + 3\ e^-$$

$$O_{2(g)} + 4\ e^-\ \rightarrow\ 2\ O^{2-}$$

Équation équilibrée de la réaction d'oxydoréduction:

$$4\ Al_{(s)} + 3\ O_{2(g)}\ \rightarrow\ 2\ Al_2O_{3(s)}$$

b) Réactifs: C et O_2, non en solution aqueuse

Élément le moins électronégatif: C
Élément le plus électronégatif: O

Degrés d'oxydation du moins électronégatif: +2 et +4
Degré d'oxydation du plus électronégatif: -2

Demi-réactions:

$$C_{(s)} \rightarrow C^{2+} + 2\ e^-$$
$$C_{(s)} \rightarrow C^{4+} + 4\ e^-$$
$$O_{2(g)} + 4\ e^- \rightarrow 2\ O^{2-}$$

Équations équilibrées des réactions d'oxydoréduction:

$$2\ C_{(s)} + O_{2(g)} \rightarrow 2\ CO_{(g)} \quad \text{(excès de carbone)}$$
$$C_{(s)} + O_{2(g)} \rightarrow CO_{2(g)} \quad \text{(excès d'oxygène)}$$

c) Réactifs: S_8 et O_2, non en solution aqueuse

Élément le moins électronégatif: S
Élément le plus électronégatif: O

Degrés d'oxydation du moins électronégatif: +4 et +6
Degré d'oxydation du plus électronégatif: -2

Demi-réactions:

$$S_{8(s)} \rightarrow 8\ S^{4+} + 32\ e^-$$
$$S_{8(s)} \rightarrow 8\ S^{6+} + 48\ e^-$$
$$O_{2(g)} + 4\ e^- \rightarrow 2\ O^{2-}$$

Équations équilibrées des réactions d'oxydoréduction:

$$S_{8(s)} + 8\ O_{2(g)} \rightarrow 8\ SO_{2(g)} \quad \text{(excès de soufre)}$$
$$S_{8(s)} + 12\ O_{2(g)} \rightarrow 8\ SO_{3(g)} \quad \text{(excès d'oxygène)}$$

d) Réactifs: Cu_2O et O_2, non en solution aqueuse.
Ions composant le réactif Cu_2O: Cu^+ et O^{2-}

Demi-réactions possibles:

$$Cu^+ \rightarrow Cu^{2+} + e^-$$
$$Cu^+ + e^- \rightarrow Cu_{(s)}$$
$$2\ O^{2-} \rightarrow O_{2(g)} + 4\ e^-$$
$$O_{2(g)} + 4\ e^- \rightarrow 2\ O^{2-}$$

L'oxygène ayant une très forte tendance à attirer les électrons, il capte un électron à l'ion Cu^+ pour le transformer en ion Cu^{2+} d'où la réaction d'oxydoréduction représentée par l'équation suivante:

$$2\ Cu_2O_{(s)} + O_{2(g)} \rightarrow 4\ CuO_{(s)}$$

e) Réactifs: P_4 et O_2, non en solution aqueuse

Élément le moins électronégatif: P
Élément le plus électronégatif: O

Degrés d'oxydation du moins électronégatif: +3 et +5

Degré d'oxydation du plus électronégatif: -2

Demi-réactions:

$$P_{4(s)} \rightarrow 4\,P^{3+} + 12\,e^-$$

$$P_{4(s)} \rightarrow 4\,P^{5+} + 20\,e^-$$

$$O_{2(g)} + 4\,e^- \rightarrow 2\,O^{2-}$$

Équations équilibrées des réactions d'oxydoréduction:

$$P_{4(s)} + 3\,O_{2(g)} \rightarrow 2\,P_2O_{3(l)} \qquad \text{(excès de phosphore)}$$

$$P_{4(s)} + 5\,O_{2(g)} \rightarrow 2\,P_2O_{5(s)} \qquad \text{(excès d'oxygène)}$$

f) Réactifs: C_4H_{10} et O_2, non en solution aqueuse

C_4H_{10} est un hydrocarbure qui brûle en présence d'un excès d'oxygène: les atomes de carbone s'oxydent alors en C^{4+} et l'hydrogène, H^+, se retrouve dans la molécule d'eau en vapeur. D'où l'équation de la réaction d'oxydoréduction suivante:

$$2\,C_4H_{10(g)} + 13\,O_{2(g)} \rightarrow 8\,CO_{2(g)} + 10\,H_2O_{(g)}$$

Si l'hydrocarbure se trouve en excès, $CO_{2(g)}$ est remplacé en tout ou en partie par $CO_{(g)}$ou par $C_{(s)}$.

g) Réactifs: $C_5H_{12}S$ et O_2, non en solution aqueuse

$C_5H_{12}S$ est un composé qui brûle en présence d'un excès d'oxygène: les atomes de carbone s'oxydent alors en C^{4+}, l'atome de soufre en S^{4+} (puisque SO_2 est plus stable que SO_3 à haute température) et l'hydrogène, H^+, se retrouve dans la molécule d'eau en vapeur. D'où l'équation de la réaction d'oxydoréduction suivante:

$$C_5H_{12}S_{(g)} + 9\,O_{2(g)} \rightarrow 5\,CO_{2(g)} + 6\,H_2O_{(g)} + SO_{2(g)}$$

Si le composé se trouve en excès, $CO_{2(g)}$ est remplacé en tout ou en partie par $CO_{(g)}$ou par $C_{(s)}$.

h) Réactifs: C_3H_8O et O_2, non en solution aqueuse

C_3H_8O est un composé qui brûle en présence d'un excès d'oxygène: les atomes de carbone s'oxydent alors en C^{4+} et l'hydrogène, H^+, de même que l'oxygène,O^{2-}, se retrouve dans la molécule d'eau en vapeur. D'où l'équation de la réaction d'oxydoréduction suivante:

$$2\,C_3H_8O_{(g)} + 9\,O_{2(g)} \rightarrow 6\,CO_{2(g)} + 8\,H_2O_{(g)}$$

Si le composé se trouve en excès, $CO_{2(g)}$ est remplacé en tout ou en partie par $CO_{(g)}$ ou par $C_{(s)}$.

i) Réactifs: Cu_2S et O_2

Cu_2S est un sel fait des ions Cu^+ et S^{2-}. En présence d'un excès d'oxygène, ces deux ions peuvent s'oxyder, selon les demi-réactions suivantes:

$$Cu^+ \rightarrow Cu^{2+} + e^-$$

$$S^{2-} \rightarrow S^{4+} + 6\,e^-$$

D'où la réaction d'oxydoréduction représentée par l'équation suivante:

$$Cu_2S_{(s)} + 2\,O_{2(g)} \rightarrow 2\,CuO_{(s)} + SO_{2(g)}$$

Exercice 3

a) Réactifs: MgO et H_2O

MgO est un oxyde métallique peu soluble à caractère basique. D'où la réaction représentée par l'équation équilibrée suivante:

$$MgO_{(s)} + H_2O_{(l)} \rightarrow Mg(OH)_{2(s)}$$

b) Réactifs: P_2O_3 et H_2O

P_2O_3 est un oxyde non métallique à caractère acide, d'où sa réaction avec l'eau selon l'équation équilibrée suivante:

$$P_2O_{3(l)} + 3\,H_2O_{(l)} \rightarrow 2\,H_3PO_{3(aq)}$$

c) Réactifs: CO_2 et H_2O

CO_2 est un oxyde non métallique peu soluble à caractère acide, d'où la réaction représentée par l'équation équilibrée suivante:

$$CO_{2(g)} + H_2O_{(l)} \rightarrow H_2CO_{3(aq)}$$

Toutefois, très instable, H_2CO_3 se décompose également en H^+, HCO_3^- et CO_3^{2-}.

d) Réactifs: SO_2 et H_2O

SO_2 est un oxyde non métallique peu soluble à caractère acide, d'où la réaction représentée par l'équation équilibrée suivante:

$$SO_{2(g)} + H_2O_{(l)} \rightarrow H_2SO_{3(aq)}$$

e) Réactifs: Na_2O et H_2O

Na_2O est un oxyde métallique soluble à caractère basique, d'où la réaction avec l'eau représentée par l'équation équilibrée suivante:

$$Na_2O_{(s)} + H_2O_{(l)} \rightarrow 2\,NaOH_{(aq)}$$

Exercice 4

a) Degré d'oxydation du chrome: +2
   Formule de l'oxyde: CrO
   Oxyde basique

b) Degré d'oxydation du chrome: +3
   Formule de l'oxyde: Cr_2O_3
   Oxyde amphotère

c) Degré d'oxydation du chrome: +6
   Formule de l'oxyde: CrO_3
   Oxyde acide.

Les oxydes métalliques dont le métal est à un degré d'oxydation bas sont basiques; à un degré d'oxydation élevé, acides: à un degré d'oxydation intermédiaire, amphotères.

Exercice 5

a) Réactifs: CaO et HCl, en solution aqueuse, milieu acide.

Ions composant les réactifs: Ca^{2+}, O^{2-}, H^+, Cl^-

En remplaçant l'ion Ca^{2+} par l'ion H^+, on obtient la réaction de substitution représentée par l'équation équilibrée suivante:

$$CaO_{(s)} + 2\ HCl_{(aq)} \rightarrow CaCl_{2(aq)} + H_2O_{(l)}$$

Cette réaction est spontanée puisque, parmi les produits, se trouve un électrolyte très faible, H_2O.

b) Réactifs: CO_2 et $MgCl_2$, en solution aqueuse.

Ions composant les réactifs:

CO_3^{2-} et H^+ (provenant de CO_2 dans l'eau), Mg^{2+}, Cl^-

En remplaçant l'ion Mg^{2+} par l'ion H^+, on obtient la réaction de substitution représentée par l'équation équilibrée suivante:

$$MgCl_{2(aq)} + CO_{2(g)} + H_2O_{(l)} \rightarrow MgCO_{3(s)} + 2\ HCl_{(aq)}$$

Cette réaction est spontanée puisque, parmi les produits, se trouve un électrolyte faible, $MgCO_3$, sel peu soluble.

c) Réactifs: BaO et CO_2, non en solution aqueuse.

BaO: oxyde basique
CO_2: oxyde acide

La réaction de substitution acido-basique représentée par l'équation équilibrée suivante peut se produire, étant donné les caractères basique et acide des oxydes:

$$CO_{2(g)} + MgO_{(s)} \rightarrow MgCO_{3(s)}$$

d) Réactifs: Na_2SO_3 et HCl, en solution aqueuse.

Ions composant les réactifs: Na^+, SO_3^{2-}, H^+, Cl^-

En remplaçant l'ion Na^+ par l'ion H^+, on obtient l'équation équilibrée suivante pour la réaction de substitution:

$$Na_2SO_{3(aq)} + 2\ HCl_{(aq)} \rightarrow H_2SO_{3(aq)} + 2\ NaCl_{(aq)}$$

ou encore:

$$Na_2SO_{3(aq)} + 2\ HCl_{(aq)} \rightarrow SO_{2(g)} + H_2O_{(l)} + 2\ NaCl_{(aq)}$$

Cette réaction est spontanée puisque, parmi les produits, se trouve les électrolytes faibles, SO_2 et H_2O.

Exercice 6

a) Réactifs: Mg et O_2, non en solution aqueuse.

Élément le moins électronégatif: Mg
Élément le plus électronégatif: O

Degré d'oxydation du moins électronégatif: +2
Degré d'oxydation du plus électronégatif: -2

Demi-réactions:

$$Mg_{(s)} \rightarrow Mg^{2+} + 2 e^-$$

$$O_{2(g)} + 4 e^- \rightarrow 2 O^{2-}$$

Équation équilibrée de la réaction d'oxydoréduction:

$$2 Mg_{(s)} + O_{2(g)} \rightarrow 2 MgO_{(s)}$$

b) Réactifs: MgO et H_2O

MgO est un oxyde métallique peu soluble à caractère basique, d'où la réaction avec l'eau représentée par l'équation équilibrée suivante:

$$MgO_{(s)} + H_2O_{(l)} \rightarrow Mg(OH)_{2(s)}$$

c) Au total, ces deux réactions donnent l'équation équilibrée suivante:

$$2 Mg_{(s)} + O_{2(g)} + 2 H_2O_{(l)} \rightarrow 2 Mg(OH)_{2(s)}$$

$n[Mg(OH)_2] = 0{,}40$ mol
$T = 25°C$
$p = 101{,}3$ kPa
$m(Mg) = ?$
$V(O_2) = ?$

D'après l'équation équilibrée de la réaction globale, il faut 0,40 mole de magnésium pour obtenir 0,40 mole d'hydroxyde de magnésium, d'où:

$m(Mg) = n(Mg) \times M(Mg) = 0{,}40$ mol $\times 24{,}305$ g/mol $= 9{,}7$ g

D'après l'équation équilibrée de la réaction globale, 0,40 mole de magnésium réagit avec 0,20 mole d'oxygène gazeux, O_2.

$V(O_2) = n(O_2) RT / p$
$V(O_2) = (0{,}20$ mol $\times 8{,}31$ kPa-L/K-mol $\times 298$ K$) / 101{,}3$ kPa
$V(O_2) = 4.9$ L

Exercice 7

$m(KCl) = 1{,}00$ g
$T = 25°C$
$p = 101{,}3$ kPa
$V(O_2) = ?$

Équation chimique équilibrée:

$$2 KClO_{3(s)} + chaleur \rightarrow 2 KCl_{(s)} + 3 O_{2(g)}$$

$n(KCl) = m(KCl) / M(KCl)$
$n(KCl) = 1{,}00$ g $/ (74{,}551$ g/mol$) = 0{,}0134$ mol

D'après l'équation équilibrée:
$n(O_2) = n(KCl) \times 3/2 = 0{,}0134$ mol $\times 3/2 = 0{,}0201$ mol

D'où:
$V(O_2) = n(O_2) RT / p$
$V(O_2) = (0{,}0201$ mol $\times 8{,}31$ kPa-L/K-mol $\times 298$ K$) / 101{,}3$ kPa
$V(O_2) = 0{,}491$ L

Exercice 8

a) Réactifs: O_2 et S_8, non en solution aqueuse.

Élément le moins électronégatif: S
Élément le plus électronégatif: O
Degrés d'oxydation du moins électronégatif: +4 et +6
Degré d'oxydation du plus électronégatif: -2

Demi-réactions:

$$S_{8(s)} \rightarrow 8\ S^{4+} + 32\ e^-$$

$$S_{8(s)} \rightarrow 8\ S^{6+} + 48\ e^-$$

$$O_{2(g)} + 4\ e^- \rightarrow 2\ O^{2-}$$

Équations équilibrées des réactions d'oxydoréduction:

$$S_{8(s)} + 8\ O_{2(g)} \rightarrow 8\ SO_{2(g)}$$

$$S_{8(s)} + 12\ O_{2(g)} \rightarrow 8\ SO_{3(g)}$$

Cependant, à haute température, le dioxyde de soufre, SO_2, est plus stable que le trioxyde de soufre, SO_3.

b) Réactifs: Fe et S_8, non en solution aqueuse.

Élément le moins électronégatif: Fe
Élément le plus électronégatif: O
Degrés d'oxydation du moins électronégatif: +2 et +3
Degré d'oxydation du plus électronégatif: -2

Demi-réactions:

$$Fe_{(s)} \rightarrow Fe^{2+} + 2\ e^-$$

$$Fe_{(s)} \rightarrow Fe^{3+} + 3\ e^-$$

$$S_{8(s)} + 16\ e^- \rightarrow 8\ S^{2-}$$

Équations équilibrées des réactions d'oxydoréduction:

$$8\ Fe_{(s)} + S_{8(s)} \rightarrow 8\ FeS_{(s)}$$

$$16\ Fe_{(s)} + 3\ S_{8(s)} \rightarrow 8\ Fe_2S_{3(s)}$$

c) Réactifs: F_2 et S_8, non en solution aqueuse.

Élément le moins électronégatif: S
Élément le plus électronégatif: F
Degrés d'oxydation du moins électronégatif: +4 et +6
Degré d'oxydation du plus électronégatif: -1

Demi-réactions:

$$S_{8(s)} \rightarrow 8\ S^{4+} + 32\ e^-$$

$$S_{8(s)} \rightarrow 8\ S^{6+} + 48\ e^-$$

$$F_{2(g)} + 2\ e^- \rightarrow 2\ F^-$$

Équations équilibrées des réactions d'oxydoréduction:

$$S_{8(s)} + 16\ F_{2(g)} \rightarrow\ 8\ SF_{4(g)} \quad \text{(excès de soufre)}$$

$$S_{8(s)} + 24\ F_{2(g)} \rightarrow\ 8\ SF_{6(g)} \quad \text{(excès de fluor)}$$

d) Réactifs: Cl_2 et S_8, non en solution aqueuse.

Élément le moins électronégatif: S
Élément le plus électronégatif: Cl
Degrés d'oxydation du moins électronégatif: +4 et +6
Degré d'oxydation du plus électronégatif: -1

Demi-réactions:

$$S_{8(s)} \rightarrow\ 8\ S^{4+} + 32\ e^-$$

$$S_{8(s)} \rightarrow\ 8\ S^{6+} + 48\ e^-$$

$$Cl_{2(g)} + 2\ e^- \rightarrow\ 2\ Cl^-$$

Équation équilibrée de la réaction d'oxydoréduction:

$$S_{8(s)} + 16\ Cl_{2(g)} \rightarrow\ 8\ SCl_{4(l)}$$

Six atomes de chlore sont trop volumineux pour entourer un seul atome de soufre; aussi, l'hexachlorure de soufre ne peut pas se former.

e) Réactifs: S_8 et HCl en solution aqueuse, milieu acide.

Il ne peut pas y avoir de réaction de substitution entre ces réactifs puisque le soufre n'est pas composé d'ions. Considérons la possibilité d'une réaction d'oxydoréduction.

Demi-réactions possibles:

$$S_{8(s)} + 16\ e^- \rightarrow\ 8\ S^{2-}_{(aq)} \qquad\qquad \varepsilon_r^\circ = -0,51\ V$$

$$2\ H^+_{(aq)} + 2\ e^- \rightarrow\ H_{2(g)} \qquad\qquad \varepsilon_r^\circ = 0,00\ V$$

$$2\ Cl^-_{(aq)} \rightarrow\ Cl_{2(g)} + 2\ e^- \qquad\qquad \varepsilon_o^\circ = -1,36\ V$$

$$Cl^-_{(aq)} + 4\ H_2O_{(l)} \rightarrow\ ClO_4^-{}_{(aq)} + 8\ H^+_{(aq)} + 8\ e^- \qquad \varepsilon_o^\circ = -1,39\ V$$

$$Cl^-_{(aq)} + 3\ H_2O_{(l)} \rightarrow\ ClO_3^-{}_{(aq)} + 6\ H^+_{(aq)} + 6\ e^- \qquad \varepsilon_o^\circ = -1,45\ V$$

$$Cl^-_{(aq)} + H_2O_{(l)} \rightarrow\ HClO_{(aq)} + H^+_{(aq)} + 2\ e^- \qquad \varepsilon_o^\circ = -1,49\ V$$

$$Cl^-_{(aq)} + 2\ H_2O_{(l)} \rightarrow\ HClO_{2(aq)} + 3\ H^+_{(aq)} + 4\ e^- \qquad \varepsilon_o^\circ = -1,57\ V$$

$$2\ H_2O_{(l)} \rightarrow\ O_{2(g)} + 4\ H^+_{(aq)} + 4\ e^- \qquad\qquad \varepsilon_o^\circ = -1,23\ V$$

Aucune réaction d'oxydoréduction n'est possible puisque le soufre ne peut pas réagir ni avec l'ion H^+ (il y aurait alors deux réductions), ni avec l'ion Cl^-, ni avec l'eau, puisque le potentiel global, dans tous les cas, est négatif.

Exercice 9

T = 25,0°C
p = 101,3 kPa
m(cire) = 1,00 g
V(gaz) = ?

Équation chimique équilibrée:

$$C_{46}H_{96}O_{2(s)} + 69\ O_{2(g)} \rightarrow 46\ CO_{2(g)} + 48\ H_2O_{(l)}$$

M(cire) = 46 M(C) + 96 M(H) + 2 M(O) = 681,261 g/mol
$n(C_{46}H_{96}O_2) = m(C_{46}H_{96}O_2) / M(C_{46}H_{96}O_2)$
$n(C_{46}H_{96}O_2) = 1,00$ g/ (681,22 g/mol) = $1,47 \times 10^{-3}$ mol

$n(gaz) = n(CO_2) = 46\ n(C_{46}H_{96}O_2)$
n(gaz) = 46 × 1,47 × 10^{-3} mol = 0,0676 mol
V(gaz) = n(gaz) RT / p
V(gaz) = (0,0676 mol × 8,31 kPa-L/K-mol × 298,1 K) / 101,3 kPa = 1,65 L

Exercice 10

Réactifs: CaO, SiO_2 et H$^+$ (provenant des pluies acides)

CaO est un oxyde métallique à caractère basique, d'où la réaction de substitution acido-basique représentée par l'équation équilibrée suivante:

$$CaO_{(s)} + 2\ H^+_{(aq)} \rightarrow Ca^{2+}_{(aq)} + H_2O_{(l)}$$

SiO_2 est un oxyde non métallique à caractère acide. Il ne peut donc pas réagir avec les acides. Les acides provenant des pluies acides solubilisent donc l'oxyde de calcium du béton, ce qui le désagrège, et laisse l'oxyde de silicium intact.

Exercice 11

a) Réactifs: Na_2O et H_2O

Na_2O est un oxyde métallique à caractère basique, d'où la réaction de substitution représentée par l'équation équilibrée suivante:

$$Na_2O_{(s)} + H_2O_{(l)} \rightarrow 2\ NaOH_{(aq)}$$

Réactifs: Na_2O_2 et H_2O

Le peroxyde de sodium se décompose dans l'eau selon l'équation équilibrée suivante:

$$2\ Na_2O_{2(s)} + 2\ H_2O_{(l)} \rightarrow 4\ NaOH_{(aq)} + O_{2(g)}$$

b) Seule la deuxième réaction dégage un gaz et ce gaz est l'oxygène

c) Le solide est le peroxyde de sodium, Na_2O_2, puisque seule la deuxième réaction dégage un gaz en même temps qu'elle rend la solution basique grâce à la formation de l'hydroxyde de sodium, NaOH.

Exercice 12

a) $T = 20,0°C$
$p = 101,3$ kPa
$m(Na_2O_2) = 15,6$ g
$V(O_2) = ?$

$n(Na_2O_2) = m(Na_2O_2) / M(Na_2O_2) = 15,6$ g $/ (77,9782$ g/mol$) = 0,200$ mol
$n(O_2) = n(Na_2O_2) \times 1/2 = 0,200$ mol $\times 1/2 = 0,100$ mol
$V(O_2) = n(O_2)$ RT $/ p$
$V(O_2) = (0,100$ mol $\times 8,31$ kPa-L/K-mol $\times 293,1$ K$) / 101,3$ kPa $= 2,40$ L

b) Rendement = (quantité expérimentale/ quantité théorique) × 100
   Rendement = (1,21 L / 2,40 L) × 100 = 50,4%

Exercice 13

a) L'ion sulfure, S^{2-}, peut se combiner par substitution avec l'ion H^+ pour former le gaz H_2S. Ce dernier est facilement identifiable à son odeur caractéristique d'oeufs pourris. Il s'agit donc de mettre en milieu acide la solution qu'on soupçonne contenir des ions sulfures, ce qui devrait réagir par substitution selon l'équation ionique nette de substitution suivante:

$$S^{2-}_{(aq)} + 2\,H^+_{(aq)} \rightarrow H_2S_{(g)}$$

Un exemple de cette réaction sous forme d'équation moléculaire serait le suivant:

$$Na_2S_{(aq)} + 2\,HCl_{(aq)} \rightarrow H_2S_{(g)} + 2\,NaCl_{(aq)}$$

b) L'ion sulfite, SO_3^{2-}, peut se combiner par substitution avec l'ion H^+ pour former l'acide sulfureux, H_2SO_3, lequel se décompose en eau et en $SO_{2(g)}$. Ce dernier gaz est facilement identifiable à son odeur piquante. En mettant l'ion sulfite en milieu acide, il réagit par substitution selon l'équation ionique nette suivante:

$$SO_3^{2-}{}_{(aq)} + 2\,H^+_{(aq)} \rightarrow SO_{2(g)} + H_2O_{(l)}$$

Un exemple de cette réaction sous forme d'équation moléculaire serait le suivant:

$$Na_2SO_{3(aq)} + 2\,HCl_{(aq)} \rightarrow SO_{2(g)} + H_2O_{(l)} + 2\,NaCl_{(aq)}$$

c) L'ion sulfate, SO_4^{2-}, se retrouve dans plusieurs sels peu solubles. Sa présence dans une solution peut donc être mise en évidence en ajoutant à la solution un ion métallique formant avec l'ion sulfate un composé peu soluble. Ainsi, en ajoutant un sel soluble de baryum, source d'ion Ba^{2+}, il se produit par substitution un précipité blanc selon l'équation ionique nette suivante:

$$SO_4^{2-}{}_{(aq)} + Ba^{2+}_{(aq)} \rightarrow BaSO_{4(s)}$$

Un exemple de cette réaction sous forme d'équation moléculaire serait le suivant:

$$Na_2SO_{4(aq)} + BaCl_{2(aq)} \rightarrow BaSO_{4(s)} + 2\,NaCl_{(aq)}$$

Exercice 14

Lorsqu'un élément brûle, l'oxygène de l'air provoque l'oxydation de cet élément. L'élément passe alors à un degré d'oxydation plus élevé tandis que l'oxygène se réduit au degré d'oxydation -2.

Le degré d'oxydation du carbone dans C_2H_2, du phosphore dans P_4, de même que celui du magnésium, Mg, ne sont pas à leur valeur maximum. Ces éléments peuvent donc être oxydés par l'oxygène de l'air. Les équations chimiques sont alors les suivantes, lorsque l'oxygène est en excès:

$$2\ C_2H_{2(g)} + 5\ O_{2(g)} \rightarrow 4\ CO_{2(g)} + 2\ H_2O_{(g)}$$

$$P_{4(s)} + 5\ O_{2(g)} \rightarrow 2\ P_2O_{5(s)}$$

$$2\ Mg_{(s)} + O_{2(g)} \rightarrow 2\ MgO_{(s)}$$

Par contre, le degré d'oxydation des éléments Si, C et Ca est à sa valeur maximale dans les composés SiO_2, CO_2 et CaO, soit Si^{4+}, C^{4+} et Ca^{2+}. Ces éléments ne peuvent donc pas réagir avec l'oxygène de l'air.

LIAISON COVALENTE

RÉPONSES AUX QUESTIONS

Question 9.1

F_2:

Configuration électronique de l'atome de fluor:

$1s^2 \quad 2s^2 \quad 2p^5$

$\boxed{\uparrow\downarrow} \quad \boxed{\uparrow\downarrow} \quad \boxed{\uparrow\downarrow}\,\boxed{\uparrow\downarrow}\,\boxed{\uparrow}$

Les orbitales atomiques externes de l'atome de fluor sont les suivantes: une orbitale $2s$ et trois orbitales $2p$, soit quatre orbitales atomiques par atome et, par conséquent, huit orbitales moléculaires dans la molécule F_2. De celles-ci, quatre sont des orbitales moléculaires liantes et quatre sont des orbitales moléculaires antiliantes.

Chaque atome de fluor possède sept électrons périphériques; on retrouve donc 14 électrons dans les orbitales moléculaires de la molécule de fluor. Huit électrons se placent dans les quatre orbitales moléculaires liantes, celles de moindre énergie, et, par conséquent, les plus stables. Il en reste donc six à placer dans les orbitales moléculaires antiliantes.

D'où:

caractère liant = (nombre d'électrons liants) − (nombres d'électrons antiliants)
caractère liant = 8 − 6 = 2

Ne_2

Configuration électronique de l'atome de néon:

$1s^2 \quad 2s^2 \quad 2p^6$

$\boxed{\uparrow\downarrow} \quad \boxed{\uparrow\downarrow} \quad \boxed{\uparrow\downarrow}\,\boxed{\uparrow\downarrow}\,\boxed{\uparrow\downarrow}$

Il y a une orbitale atomique externe $2s$ et 3 orbitales atomiques externes $2p$ par atome de néon, soit quatre orbitales atomiques externes. Dans la molécule Ne_2, il y aurait donc huit orbitales moléculaires externes, soit quatre liantes et quatre antiliantes.

Il y a huit électrons périphériques par atome de Ne, donc seize dans la molécule Ne_2. Huit des électrons occupent les quatre orbitales moléculaires liantes et les huit autres les quatre orbitales moléculaires antiliantes.

D'où:

caractère liant = (nombre d'électrons liants) – (nombre d'électrons antiliants)
caractère liant = 8 – 8 = 0

O_2

Configuration électronique de l'atome d'oxygène:

$$1s^2 \quad 2s^2 \quad 2p^4$$
$$\boxed{\uparrow\downarrow} \quad \boxed{\uparrow\downarrow} \quad \boxed{\uparrow\downarrow \,|\, \uparrow \,|\, \uparrow}$$

Il y a une orbitale atomique externe $2s$ et trois orbitales atomiques externes $2p$ par atome d'oxygène et, par conséquent, huit orbitales moléculaires externes dans la molécule d'oxygène, soit quatre liantes et quatre antiliantes.

Il y a six électrons périphériques par atome d'oxygène et, par conséquent, douze dans les orbitales moléculaires externes de la molécule d'oxygène.

Huit de ces électrons se retrouvent dans les quatre orbitales moléculaires liantes et il en reste quatre dans les orbitales moléculaires antiliantes.

D'où:

caractère liant = (nombre d'électrons liants) – (nombre d'électrons antiliants)
caractère liant = 8 – 4 = 4

N_2

Configuration électronique de l'atome d'azote:

$$1s^2 \quad 2s^2 \quad 2p^3$$
$$\boxed{\uparrow\downarrow} \quad \boxed{\uparrow\downarrow} \quad \boxed{\uparrow \,|\, \uparrow \,|\, \uparrow}$$

Il y a une orbitale atomique externe $2s$ et trois orbitales atomiques externes $2p$ par atome d'azote et, par conséquent, quatre orbitales atomiques externes par atome d'azote. Dans la molécule N_2, on retrouve donc huit orbitales moléculaires externes, soit quatre liantes et quatre antiliantes.

Il y a cinq électrons périphériques par atome d'azote et, par conséquent, dix électrons dans les orbitales moléculaires externes de la molécule d'azote.

Huit des électrons externes se retrouvent dans les quatre orbitales moléculaires liantes et il en reste deux dans les orbitales moléculaires antiliantes.

D'où:

caractère liant = (nombre d'électrons liants) – (nombre d'électrons antiliants)
caractère liant = 8 – 2 = 6

Les énergies de liaison croissent à mesure que le caractère liant augmente. L'ordre croissant des énergies de liaison des molécules précitées est donc:

$$Ne_2 < F_2 < O_2 < N_2$$

Question 9.2

Configuration électronique de Al:

$1s^2$	$2s^2$	$2p^6$			$3s^2$	$3p^1$		
↑↓	↑↓	↑↓	↑↓	↑↓	↑↓	↑		

Configuration électronique de H:

$1s^1$
↑

Le recours à l'hybridation de l'atome d'aluminium est nécessaire pour que cet atome se retrouve avec trois électrons célibataires afin d'expliquer ainsi les trois liaisons Al – H de la molécule AlH_3. Les étapes conduisant à la formation de cette molécule sont les suivantes:

Excitation:

$$Al_{(g)} + énergie \rightarrow Al^*_{(g)}$$

$3s^2$	$3p^1$		
↑↓	↑		

$3s^1$	$3p^2$		
↑	↑	↑	

Hybridation:

$$Al^*_{(g)} + énergie \rightarrow Al(hybridé)_{(g)}$$

$3s^1$	$3p^2$		
↑	↑	↑	

$(3sp^2)^3$		
↑	↑	↑

Formation des orbitales moléculaires:

$$Al(hybridé)_{(g)} + 3 H_{(g)} \rightarrow AlH_{3(s)} + énergie$$

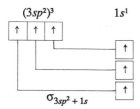

Puisque l'atome central est hybridé sp^2, la géométrie de la molécule AlH_3 est planaire et les angles entre les liaisons Al – H sont égaux à 120°; la molécule peut donc être représentée de la façon suivante:

H⟍ 120°

Al ⟂ H

H⟋

Question 9.3

Configuration électronique de Si:

$1s^2 \quad 2s^2 \quad 2p^6 \qquad 3s^2 \quad 3p^2$

| ↑↓ | | ↑↓ | | ↑↓ | ↑↓ | ↑↓ | | ↑↓ | | ↑ | ↑ | |

Configuration électronique de H:

$1s^1$

| ↑ |

Le recours à l'hybridation de l'atome central, Si, est nécessaire pour obtenir quatre électrons célibataires et expliquer les quatre liaisons Si – H.

Excitation:

$$Si_{(g)} + \text{énergie} \rightarrow Si^*_{(g)}$$

$3s^2 \quad 3p^2 \qquad\qquad 3s^1 \quad 3p^3$

| ↑↓ | | ↑ | ↑ | | | ↑ | | ↑ | ↑ | ↑ |

Hybridation:

$$Si^*_{(g)} + \text{énergie} \rightarrow Si(\text{hybridé})_{(g)}$$

$3s^1 \quad 3p^3 \qquad\qquad (3sp^3)^4$

| ↑ | | ↑ | ↑ | ↑ | | ↑ | ↑ | ↑ | ↑ |

Formation des orbitales moléculaires:

$$Si(\text{hybridé})_{(g)} + 4\,H_{(g)} \rightarrow SiH_{4(g)} + \text{énergie}$$

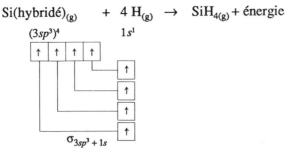

Étant donné l'hydridation sp^3 de l'atome central Si, la molécule est tétraédrique et les angles entre les liaisons Si – H sont égaux à 109°28'. Aussi la molécule peut être représentée ainsi:

$$\begin{array}{c} \text{H} \\ | \\ \overset{109°\,28'}{\left(\right)}\ \text{Si} \\ \text{H}\diagup\ \ \diagdown\text{H} \\ \text{H} \end{array}$$

Question 9.4

Configuration électronique de l'atome N:

$$\underset{\boxed{\uparrow\downarrow}}{1s^2}\quad \underset{\boxed{\uparrow\downarrow}}{2s^2}\quad \underset{\boxed{\uparrow}\ \boxed{\uparrow}\ \boxed{\uparrow}}{2p^3}$$

Configuration électronique de l'atome H:

$$\underset{\boxed{\uparrow}}{1s^1}$$

Il y a hybridation sp^3 de l'atome central N sans excitation puisque trois électrons célibataires sont disponibles dans cet atome.

Hybridation:

$$N_{(g)} + \text{énergie} \ \rightarrow \ N(\text{hybridé})_{(g)}$$

$$\underset{\boxed{\uparrow\downarrow}}{1s^2}\quad \underset{\boxed{\uparrow\downarrow}}{2s^2}\quad \underset{\boxed{\uparrow}\ \boxed{\uparrow}\ \boxed{\uparrow}}{2p^3}\qquad\qquad \underset{\boxed{\uparrow\downarrow}\ \boxed{\uparrow}\ \boxed{\uparrow}\ \boxed{\uparrow}}{(2sp^3)^5}$$

Formation des orbitales moléculaires:

$$N(\text{hybridé})_{(g)} + \ 3\,H_{(g)} \ \rightarrow \ NH_{3(g)} + \text{énergie}$$

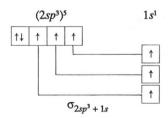

$\sigma_{2sp^3 + 1s}$

La molécule est tétraédrique puisqu'il y a eu hybridation sp^3 de l'atome central N. Les atomes d'hydrogène occupent les sommets d'un tétraèdre. Les angles entre les liaisons N−H sont un peu inférieurs à 109° puisque la paire d'électrons libres de l'atome d'azote repousse les électrons des liaisons N−H. La molécule peut être représentée de la façon suivante:

Question 9.5

Configuration électronique de Br:

$1s^2 \quad 2s^2 \quad 2p^6 \qquad 3s^2 \quad 3p^6 \qquad 4s^2 \quad 3d^{10} \qquad\qquad 4p^5$

| ↑↓ | ↑↓ | ↑↓ | ↑↓ | ↑↓ | ↑↓ | ↑↓ | ↑↓ | ↑↓ | ↑↓ | ↓↑ | ↓↑ | ↓↑ | ↓↑ | ↓↑ | ↑↓ | ↑↓ | ↑ |

Configuration électronique de F:

$1s^2 \quad 2s^2 \quad 2p^5$

| ↑↓ | ↑↓ | ↑↓ | ↑↓ | ↑ |

Dans le composé BrF_5, il y a cinq liaisons Br−F. Pour que le brome puisse former cinq liaisons, il doit posséder cinq électrons célibataires et s'hybrider en d^2sp^3.

Excitation:

$$Br_{(g)} + \text{énergie} \quad \rightarrow \quad Br^*_{(g)}$$

$4s^2 \quad 4p^5 \qquad\qquad 4s^2 \quad 4p^3 \qquad 4d^2$

| ↑↓ | ↑↓ | ↑↓ | ↑ | | ↑↓ | ↑ | ↑ | ↑ | | ↑ | ↑ | | |

Hybridation:

$$Br^*_{(g)} \quad + \quad \text{énergie} \quad \rightarrow \quad Br(\text{hybridé})_{(g)}$$

$4s^2 \quad 4p^3 \qquad 4d^2 \qquad\qquad (4d^2sp^3)^7$

| ↑↓ | ↓ | ↓ | ↓ | ↑ | ↑ | | | ↑↓ | ↑ | ↑ | ↑ | ↑ | ↑ |

Formation d'orbitales moléculaires:

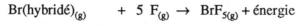

$$Br(hybridé)_{(g)} \quad + \quad 5\ F_{(g)} \quad \rightarrow \quad BrF_{5(g)} + énergie$$

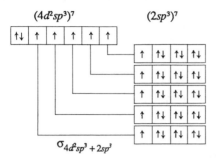

Il y a donc une paire d'électrons libres autour du brome en plus des cinq liaisons Br−F. Les atomes de fluor sont hybridés sp^3 et possèdent trois paires d'électrons libres.

La forme de la molécule est octaédrique où un des sommets est occupé par une paire d'électrons libres. Les angles entre les liaisons Br − F sont un peu plus petits que 90° à cause des répulsions plus fortes de la paire d'électrons libres sur les paires d'électrons des liaisons. La molécule peut être représentée de la façon suivante:

Question 9.6

Configuration électronique du carbone:

$$1s^2 \quad 2s^2 \quad 2p^2$$

| ↑↓ | ↑↓ | ↑ | ↑ | |

Configuration électronique de l'hydrogène:

$$1s^1$$

| ↑ |

La formule structurale de la molécule est: H − C ≡ C − H. La triple liaison entre les deux atomes de carbone implique la présence d'une orbitale moléculaire σ et de deux orbitales moléculaires π. Ces deux dernières sont formées par le recouvrement d'orbitales atomiques $2p$ contenant un électron chacune. Les deux liaisons C − H se sont formées grâce à des orbitales moléculaires sigma. Les atomes de carbone doivent donc posséder quatre électrons célibataires pour produire les quatre orbitales moléculaires autour de chacun d'eux. Pour expliquer les deux orbitales moléculaires sigma de chaque atome de carbone, les atomes de carbone s'hybrident en *sp*.

Excitation:

$$C_{(g)} + \text{énergie} \;\rightarrow\; C^*_{(g)}$$

$2s^2 \quad 2p^2$ $\qquad\qquad\quad$ $2s^1 \quad 2p^3$

| ↑↓ | | ↑ | ↑ | | $\qquad$ | ↑ | | ↑ | ↑ | ↑ |

Hybridation:

$$C^*_{(g)} + \text{énergie} \;\rightarrow\; C(\text{hybridé})_{(g)}$$

$2s^1 \quad 2p^3$ $\qquad\qquad\quad$ $(2sp)^2 \quad 2p^2$

| ↑ | | ↑ | ↑ | ↑ | $\qquad$ | ↑ | ↑ | | ↑ | ↑ |

Deux orbitales atomiques $2p$ doivent être conservées afin de former deux orbitales moléculaires π.

Formation d'orbitales moléculaires:

$$H_{(g)} + 2\,C(\text{hybridé})_{(g)} + H_{(g)} \;\rightarrow\; H-C\equiv C-H_{(g)} + \text{énergie}$$

$1s^1 \quad (2sp)^2 \quad 2p^2 \quad 1s^1$

| ↑ | | ↑ | ↑ | | ↑ | ↑ | | ↑ |

σ_{2sp+1s} $\qquad\qquad$ π_{2p+2p}

| ↑ | ↑ | | ↑ | ↑ |

$\sigma_{2sp+2sp}$ $\qquad$ σ_{2sp+1s}

Étant donné l'hybridation *sp* des atomes de carbone, les angles entre les liaisons $C-H$ et $C-C$ sont de 180° et la molécule est donc linéaire:

$$H \longrightarrow C \qquad C \longrightarrow H$$
$$\underset{180°}{}$$

Question 9.7

Configuration électronique de l'oxygène:

$1s^2 \quad 2s^2 \quad 2p^4$

| ↑↓ | $\quad$ | ↑↓ | $\quad$ | ↑↓ | ↑ | ↑ |

Configuration des atomes d'hydrogène:

H: $1s^1$

$\uparrow$

H⁺: $1s^0$

La formation de l'ion H_3O^+ pourrait s'expliquer par la réaction d'une molécule d'eau avec un proton, H^+ selon l'équation:

$$H_2O_{(l)} + H^+_{(aq)} \rightarrow H_3O^+_{(aq)}$$

Étant donné que H^+ ne possède pas d'électrons et que l'oxygène dans la molécule d'eau a deux paires d'électrons libres, la liaison entre la molécule d'eau et l'ion H^+ pourrait s'expliquer par une liaison de coordinence entre l'oxygène et H^+ où l'oxygène est hybridé sp^3.

Hybridation:

$$O_{(g)} + \text{énergie} \rightarrow O(\text{hybridé})_{(g)}$$

$2s^2$ $2p^4$ $(2sp^3)^6$

$\boxed{\uparrow\downarrow}$ $\boxed{\uparrow\downarrow}\boxed{\uparrow}\boxed{\uparrow}$ $\boxed{\uparrow\downarrow}\boxed{\uparrow\downarrow}\boxed{\uparrow}\boxed{\uparrow}$

Formation des orbitales moléculaires:

$$O(\text{hybridé})_{(g)} + 2\,H_{(g)} + H^+ \rightarrow H_3O^+ + \text{énergie}$$

$(2sp^3)^6$ $1s^1$ $1s^0$

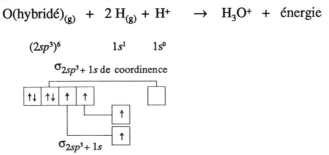

Étant donné l'hybridation sp^3 de l'atome central, l'oxygène, et la présence d'une paire d'électrons libres, les angles entre les liaisons $H - O$ sont un peu inférieurs à 109°. L'ion moléculaire, H_3O^+, a donc la forme d'un tétraèdre.

Question 9.8

a) H_3PO_4

A. *Dessiner une esquisse de la molécule.*

Ordre décroissant d'électronégativité: O, P, H

Les atomes d'hydrogène, les moins électronégatifs, sont situés aux extrémités de la molécule et unis aux atomes d'oxygène, les plus électronégatifs.

$$
\begin{array}{ccccc}
 & & O & & \\
H & O & P & O & H \\
 & & O & & \\
 & & H & &
\end{array}
$$

B. *Placer les électrons périphériques*:

1. Électrons du phosphore: ×
   Électrons de l'oxygène: ∘
   Électrons de l'hydrogène: ▫

2. On indique les électrons de liaison:

$$
\begin{array}{ccccc}
 & & O & & \\
 & & {}^{\circ\times} & & \\
H \, {}^{\square}_{\circ} & O \, {}^{\circ}_{\times} & P \, {}^{\circ}_{\times} & O \, {}^{\circ}_{\square} & H \\
 & & {}^{\circ\times} & & \\
 & & O & & \\
 & & {}^{\circ\square} & & \\
 & & H & &
\end{array}
$$

3. On ajoute les électrons périphériques manquants

$$
\begin{array}{ccccc}
 & {}^{\circ\circ}_{\circ\,O\,\circ} & & & \\
{}^{\circ\circ}_{H\,{}^{\square}_{\circ}\,O\,{}^{\circ}_{\times}} & {}^{\times\times}_{P\,{}^{\circ}_{\circ}} & {}^{\circ\circ}_{O\,{}^{\circ}_{\square}\,H} & \text{ou} & H\,{}^{\sigma}_{\circ}\overline{O}\,{}^{\sigma}_{\circ}P\,{}^{\sigma}_{\circ}\overline{O}\,{}^{\sigma}_{\circ}H
\end{array}
$$

4. Une liaison de coordinence doit exister entre l'atome de phosphore et un des atomes d'oxygène pour qu'il y ait:

   – 8 électrons autour de l'oxygène et du phosphore;

   – 5 électrons périphériques appartenant au phosphore.

b) CH$_3$CN

    A. Dessiner une esquisse de la molécule

        Composé organique: C et H, de même que C et C, ont tendance à s'unir. En respectant l'ordre de la formule, l'esquisse de la structure est:

$$
\begin{array}{c}
H \\
H \quad C \quad C \quad N \\
H
\end{array}
$$

    B. Placer les électrons périphériques:

        1. Électrons l'hydrogène: ▫

           Électrons du premier carbone: ×

           Électrons du deuxième carbone: ○

           Électrons de l'azote: ▵

        2. On indique les électrons de liaison:

$$
\begin{array}{c}
H \\
{\scriptstyle \square\, \times} \\
H \; {\scriptstyle \square}_{\times} \; C \; {\scriptstyle \times}_{\circ} \; C \; {\scriptstyle \circ}_{\triangle} \; N \\
{\scriptstyle \square\, \times} \\
H
\end{array}
$$

        3. On ajoute les électrons périphériques manquants du carbone et de l'azote:

$$
\begin{array}{c}
H \\
{\scriptstyle \square\times \quad \circ\circ \quad \triangle\triangle} \\
H \; {\scriptstyle \square}_{\times} \; C \; {\scriptstyle \times}_{\circ} \; C \; {\scriptstyle \circ}_{\triangle} \; N {\scriptstyle \triangle}_{\triangle} \\
{\scriptstyle \square\times} \\
H
\end{array}
$$

        4. Afin d'obtenir huit électrons autour du deuxième atome de carbone et autour de l'atome d'azote, on déplace une paire d'électrons libres de chacun entre eux:

$$
\begin{array}{c}
H \\
{\scriptstyle \square\times \quad \circ\circ \quad \triangle\triangle} \\
H \; {\scriptstyle \square}_{\times} \; C \; {\scriptstyle \circ}_{\triangle} \; C \; {\scriptstyle \circ}_{\triangle} \; N {\scriptstyle \triangle}_{\triangle} \\
{\scriptstyle \times\square} \\
H
\end{array}
\;\rightarrow\;
\begin{array}{c}
H \\
{\scriptstyle \square\times} \\
H \; {\scriptstyle \circ}_{\times} \; C \; {\scriptstyle \circ}_{\times} \; C \; {\scriptstyle \triangle\triangle\triangle}_{\circ\circ\circ} \; N {\scriptstyle \triangle}_{\triangle} \\
{\scriptstyle \times\square} \\
H
\end{array}
\quad \text{ou} \quad
\begin{array}{c}
H \\
{\scriptstyle |\sigma} \\
H \overset{\sigma}{-} \underset{|}{\overset{|}{C}} \underset{\sigma}{-} \overset{\pi\;\pi}{C}\!\equiv\! N| \\
{\scriptstyle \sigma} \\
H
\end{array}
$$

Question 9.9

Selon la réponse à la question 9.8, la structure de Lewis est la suivante:

$$H \overset{\sigma}{-} \underset{\underset{H}{\overset{|\sigma}{|}}}{\overset{\overset{H}{\overset{|\sigma}{|}}}{C}} \overset{}{\underset{\sigma}{-}} C \overset{\pi}{\underset{\sigma}{\overset{\pi}{\equiv}}} N|$$

Le premier atome de carbone est entouré de quatre orbitales moléculaires σ, d'où une hybridation *sp*³ et une représentation spatiale AB₄ autour de cet atome.

Le deuxième atome de carbone est entouré de deux orbitales moléculaires σ et de deux orbitales moléculaires π, d'où une hybridation *sp* et une représentation spatiale AB₂ autour de cet atome. On ne tient pas compte des deux orbitales moléculaires π autour de cet atome de carbone puisque les orbitales moléculaires π ne proviennent pas de recouvrement d'orbitales atomiques hybrides.

L'azote est entouré d'une orbitale moléculaire σ et d'une paire d'électrons libres, d'où une hybridation *sp* et une représentation spatiale ABL, autour de cet atome.

La géométrie de la molécule CH₃CN est donc la suivante:

EXERCICES RÉSOLUS

Exercice 1

a) H₂

Il n'y a pas de différence d'électronégativité entre les deux atomes d'hydrogène; par conséquent, la liaison est covalente et non polaire.

b) C₂H₆

Structure de Lewis:

$$H \overset{\sigma}{-} \underset{\underset{H}{\overset{|\sigma}{|}}}{\overset{\overset{H}{\overset{|\sigma}{|}}}{C}} \overset{}{\underset{\sigma}{-}} \underset{\underset{H}{\overset{|\sigma}{|}}}{\overset{\overset{H}{\overset{|\sigma}{|}}}{C}} \overset{\sigma}{-} H$$

Toutes les liaisons sont covalentes à cause de la faible différence d'électronégativité entre les atomes. Cette molécule est symétrique et, par conséquent, non polaire.

c) NH_3

Structure de Lewis:

$$
\begin{array}{c}
\text{H} \\
\overset{|\sigma}{} \\
|\text{N} \overset{\sigma}{\_} \text{H} \\
\overset{|\sigma}{} \\
\text{H}
\end{array}
$$

Les liaisons N – H sont covalentes, la différence d'électronégativité entre ces atomes étant faible. L'azote est hybridée sp^3 dans cette molécule, trois orbitles moléculaires σ et une paire d'électrons libres entourant cet atome. Cette molécule n'est pas symétrique et, par conséquent, elle est polaire.

d) KOH

La liaison K−O est ionique, la différence d'électronégativité entre les deux atomes étant relativement élevée (2,62). La liaison O−H est covalente, la différence d'électronégativité entre ces atomes étant faible (1,24). La liaison O−H est donc polaire et le composé ionique.

Réponse: NH_3.

Exercice 2

molécule	liaison	différence d'électronégativité
NH_3	N−H	3,04 - 2,20 = 0,84
Cl_2	Cl−Cl	3,16 - 3,16 = 0,00
H_2O	O−H	3,44 - 2,20 = 1,24
H_3CF	C−H	2,55 - 2,20 = 0,35
	C−F	4,00 - 2,55 = 1,45
BrCl	Br−Cl	3,16 - 2,96 = 0,20
H_2S	H−S	2,58 - 2,20 = 0,38

L'ordre décroissant de polarité des liaisons est donc le suivant puisque la polarité diminue lorsque la différence d'électronégativité baisse:

$^{\partial+}$C−F$^{\partial-}$, $^{\partial-}$O−H$^{\partial+}$, $^{\partial-}$N−H$^{\partial+}$, $^{\partial+}$H−S$^{\partial-}$, $^{\partial-}$C−H$^{\partial+}$, $^{\partial+}$Br−Cl$^{\partial-}$, Cl−Cl

Exercice 3

Molécule CBr_4

Structure de Lewis:

$$
\overline{|Br|} \\
\underset{\sigma}{|}\\
\overline{|Br} \underset{\sigma}{-} \underset{\underset{\overline{|Br|}}{\overset{|}{\sigma}}}{C} \underset{\sigma}{-} \overline{Br|}
$$

La présence de quatre orbitales moléculaires σ autour de l'atome de carbone montre que celui-ci s'est hybridé sp^3 dans cette molécule. Cette dernière est symétrique et, par conséquent, non polaire.

Exercice 4

– Molécule CH_2O

Structure de Lewis:

$$
H \overset{\sigma}{-} \underset{\underset{H}{\overset{|}{\sigma}}}{C} \overset{\pi}{\underset{\sigma}{=}} \ddot{O}/
$$

Autour de l'atome de carbone, il y a trois orbitales moléculaires σ. L'atome de carbone est donc hybridé sp^2 et la représentation spatiale est AB_3.

Autour de l'atome d'oxygène, il y a une orbitale moléculaire σ et deux paires d'électrons libres. L'atome d'oxygène est donc hybridé sp^2 et la représentation spatiale est ABL_2.

Les recouvrements des orbitales sont donc les suivantes:

liaison $C-H$: $\sigma_{2sp^2 + 1s}$

liaison $C \equiv O$: $\sigma_{2sp^2 + 2sp^2}$ et $\pi_{2p + 2p}$

– Molécule HCN

Structure de Lewis:

$$
H : C ::: N: \qquad ou \qquad H \overset{\sigma}{-} C \overset{\overset{\pi}{\pi}}{\underset{\sigma}{\equiv}} N|
$$

Autour de l'atome de carbone, il y deux orbitales moléculaires σ. Celui-ci s'est donc hybridé sp et sa représentation spatiale est AB_2.

Autour de l'atome d'azote, il y une orbitale moléculaire σ et une paire d'électrons libres. Celui-ci est donc hybridé sp et sa représentation spatiale est ABL.

Les recouvrements des orbitales sont donc les suivants:

liaison $C-H$: $\sigma_{2sp + 1s}$

liaison $C \equiv N$: $\sigma_{2sp + 2sp}$, $\pi_{2p(x) + 2p(x)}$ et $\pi_{2p(y) + 2p(y)}$

Exercice 5

Molécule N_2H_2

Structure de Lewis:

$$H \overset{\times\times}{\underset{\circ\circ}{\times}} N \overset{\times\circ}{\underset{\times\circ}{\times}} N \overset{\circ}{\underset{\times}{\circ}} H \quad \text{ou} \quad H \underset{\sigma}{-} \overline{N} \overset{\pi}{\underset{\sigma}{=}} \overline{N} \underset{\sigma}{-} H$$

Les atomes d'azote sont entourés de deux orbitales moléculaires σ et d'une paire d'électrons libres. Ces atomes sont hybridés sp^2 et leur représentation spatiale est donc AB_2L. Les recouvrements des orbitales sont:

liaison $N-H$: $\sigma_{2sp^2 + 1s}$

liaison $N=N$: $\sigma_{2sp^2 + 2sp^2}$ et π_{2p+2p}

La molécule peut être représentée ainsi:

polaire   ou   non-polaire

Cependant, c'est la première représentation qui est conforme au fait que la molécule est polaire.

Exercice 6

D'après la figure, la molécule est composée de quatre triangles équilatéraux. Les angles de liaison sont donc égaux à 60° puisque la somme des angles intérieurs d'un triangle est toujours égale à 180° et que les trois angles d'un triangle équilatéral sont égaux. Par contre, chaque atome, entouré de trois orbitales moléculaires σ et d'une paire d'électrons libres, est hybridé sp^3. Chacun des angles entre les liaisons devrait donc être d'environ 109°, mais pas 60°. Aussi cette molécule est très instable, de l'énergie potentielle ayant été emmagasinée dans la molécule pour faire passer les angles de liaison à une valeur beaucoup plus petite que celle de l'angle normal de presque 109°.

Exercice 7

Structure de Lewis après avoir placé les paires d'électrons libres:

a) 14 orbitales moléculaires σ (voir structure de Lewis)

b) 4 orbitales moléculaires π (voir structure de Lewis)

c)

	atome central	nbre de σ et paire e- libres	hybridation	structure	angle
NC_1C_2	C_1	2	sp	AB_2	180°
HC_4C_5	C_4	3	sp^2	AB_3	< 120°
HC_6Cl	C_6	4	sp^3	AB_4	≈ 109°
OC_5C_6	C_5	3	sp^2	AB_3	> 120°
HC_2H	C_2	4	sp^3	AB_4	≈ 109°
$C_1C_2C_3$	C_2	4	sp^3	AB_4	≈ 109°

Exercice 8

a) Molécule N_2F_2

Structure de Lewis:

$$|\overline{F} \underset{\sigma}{-} \overline{N} \underset{\pi}{\overset{\sigma}{=}} \overline{N} \underset{\sigma}{-} \overline{F}|$$

Autour des atomes de fluor, il y a une orbitale moléculaire σ et trois paires d'électrons libres. Ces atomes sont hybridés sp^3 et leur représentation spatiale est ABL_3.

Autour des atomes d'azote, il y a deux orbitales moléculaires σ et une paire d'électrons libres. Ces atomes sont hybridés sp^2 et leur représentation spatiale est AB_2L.

b) Molécule CF_2CF_2

Structure de Lewis:

$$|\overline{F} \overset{\sigma}{-} C \overset{\pi}{\underset{\sigma}{=}} C \overset{\sigma}{-} \overline{F}|$$
$$|\underline{F}| \quad |\underline{F}|$$

Autour des atomes de fluor, il y a une orbitale moléculaire σ et trois paires d'électrons libres. Ces atomes sont hybridés sp^3 et leur représentation spatiale est ABL_3.

Autour des atomes de carbone, il y a trois orbitales moléculaires σ. Ces atomes sont hybridés sp^2 et leur représentation spatiale est AB_3.

c) Molécule CH_3NNCH_3

Structure de Lewis:

$$H \overset{\sigma}{-} \underset{\sigma}{\overset{|\sigma}{C}} \underset{\sigma}{-} \overline{N} \underset{\sigma}{\overset{\pi}{=}} \overline{N} \underset{\sigma}{-} \underset{|\sigma}{\overset{|\sigma}{C}} \overset{\sigma}{-} H$$

with H above and below each C.

Autour des atomes de carbone, il y a quatre orbitales moléculaires σ. Ces atomes sont donc hybridés sp^3 et leur représentation spatiale est AB_4.

Autour des atomes d'azote, il y a deux orbitales moléculaires σ et une paire d'électrons libres. Ces atomes sont donc hybridés sp^2 et leur représentation spatiale est AB_2L.

d) Molécule CHCCHO

Structure de Lewis:

$$H \underset{\sigma}{-} C_1 \overset{\pi}{\underset{\pi}{\equiv}} C_2 \overset{\sigma}{-} C_3 \overset{\sigma}{-} H$$
$$\underset{O}{\overset{\pi||\sigma}{}}$$

Autour des atomes C_1 et C_2, il y a deux orbitales moléculaires σ. Ces atomes sont donc hybridés sp et leur représentation spatiale est AB_2.

Autour de l'atome C_3, il y a trois orbitales moléculaires σ. Cet atome est donc hybridé sp^2 et sa représentation spatiale est AB_3.

Autour de l'atome O, il y a une orbitale moléculaire σ et deux paires d'électrons libres. Cet atome est hybridé sp^2 et sa représentation spatiale est ABL_2.

Exercice 9

a) Molécule CH_2Br_2

Structure de Lewis:

$$H \underset{\sigma}{-} \underset{|Br|}{\overset{|Br|}{C}} \overset{\sigma}{-} H$$

Autour de l'atome central C, il y a quatre orbitales moléculaires σ. Cet atome est donc hybridé sp^3 et sa représentation spatiale est AB_4. Aussi la forme géométrique de la molécule est la suivante:

$$H \diagdown \overset{\overset{H}{|}}{C} \diagdown \overline{Br}|$$
$$|\underline{Br}|$$

Cette molécule est polaire puisqu'elle n'est pas symétrique par rapport à l'atome central C.

b) Molécule C_2N_2

Structure de Lewis:

$$|N \overset{\pi}{\underset{\sigma}{\equiv}} C \underset{\sigma}{-} C \overset{\pi}{\underset{\sigma}{\equiv}} N|$$

Autour des atomes de carbone, il y a deux orbitales moléculaires σ. Ces atomes sont donc hybridés *sp* et leur représentation spatiale est AB_2. Aussi la molécule est linéaire:

$$|N \equiv C - C \equiv N|$$

C_2N_2 est une molécule symétrique et, par conséquent, non polaire.

c) Molécule CH_2O

Structure de Lewis:

$$H \overset{\sigma}{-} \underset{|\sigma}{C} \overset{\pi}{\underset{\sigma}{=}} O\rangle$$
$$ H$$

Autour de l'atome central C, il y a trois orbitales moléculaires σ. L'atome de carbone est donc hybridé sp^2 et sa représentation spatiale est AB_3. La géométrie de la molécule est alors la suivante:

$$\begin{matrix} H \searrow & \\ & C = O\rangle \\ H \nearrow & \end{matrix}$$

Les vecteurs de polarité des liaisons C–H et C–O n'étant pas de même intensité, cette molécule est donc polaire.

d) Molécule CH_2CCH_2

Structure de Lewis

$$\underset{1}{\overset{\displaystyle H}{\underset{\displaystyle H}{C}}} \overset{\pi}{\underset{\sigma}{=}} \underset{2}{C} \overset{\pi}{\underset{\sigma}{=}} \underset{3}{\overset{\displaystyle H}{\underset{\displaystyle H}{C}}}$$

Autour des atomes C_1 et C_3, il y a trois orbitales moléculaires σ. Ces atomes sont donc hybridés sp^2 et leur représentation spatiale est AB_3.

Autour de l'atome C_2, il y a deux orbitales moléculaires σ. Cet atome est donc hybridé *sp* et sa représentation spatiale est AB_2. La molécule peut être représentée comme suit:

$$\begin{matrix} H \searrow & & 180° & & \nearrow H \\ & C & C & C & \\ H \nearrow & & & & \searrow H \\ 1 & & 2 & & 3 \end{matrix}$$

Cette molécule est non polaire puisque les vecteurs de polarité résultant des groupements $-CH_2$ s'annulent.

Exercice 10

– Molécule XeF$_4$

Structure de Lewis:

$$\begin{array}{ccc} |\overline{F} & & \overline{F}| \\ & \diagdown \; Xe \; \diagup & \\ |\underline{F}| & & \overline{F}| \end{array}$$

Autour de l'atome central Xe, il y a quatre orbitales moléculaires σ et deux paires d'électrons libres. Cet atome est donc hybridé d^2sp^3 et sa représentation est AB$_4$L$_2$. Aussi la molécule peut être représentée comme suit:

$$\begin{array}{ccc} |\overline{F} & \text{Q} & \overline{F}| \\ & Xe & \\ |F| & \text{Ó} & |F| \end{array}$$

Les quatre liaisons Xe–F sont dans un même plan avec des angles de 90° entre eux.

– Molécule CH$_4$

Structure de Lewis:

$$\begin{array}{c} H \\ | \, \sigma \\ H \, \dfrac{\sigma}{} \, C \, \dfrac{}{\sigma} \, H \\ \sigma | \\ H \end{array}$$

Autour de l'atome central C, il y a quatre orbitales moléculaires σ. Cet atome est donc hybridé sp^3 et sa représentation spatiale est AB$_4$. Aussi la molécule peut être représentée ainsi:

$$\begin{array}{c} H \\ | \\ \overset{\displaystyle}{C} \, 109°\,28' \\ H \diagup \quad \diagdown H \\ H \end{array}$$

Même si l'atome de carbone est entouré de quatre liaisons dans la molécule CH$_4$ comme le xénon l'est dans la molécule XeF$_4$, la géométrie de ces deux molécules est différente parce que l'hybridation de Xe dans la molécule XeF$_4$ n'est pas la même que l'hybridation de C dans la molécule CH$_4$.

Exercice 11

a) Ion moléculaire NH_4^+

   Structure de Lewis:

Autour de l'atome central N, il y a quatre orbitales moléculaires σ. Cet atome est donc hybridé sp^3 et sa représentation spatiale est AB_4.

b) Ion moléculaire PCl_6^-

   Structure de Lewis:

Autour de l'atome central P, il y a six orbitales moléculaires σ. Aussi cet atome est hybridé d^2sp^3.

c) Molécule BCl_3

   Structure de Lewis:

Autour de l'atome central B, il y a trois orbitales moléculaires σ. Cet atome est donc hybridé sp^2.

Exercice 12

Molécule	Structure de Lewis	Nombre de liaisons	Paire d'électrons libres	Atome central	Hybridation
H_2S	$H - \underline{\bar{S}} - H$	2 simples	2	S	sp^3
$CHCl_3$		4 simples	9	C	sp^3
OCl_2	$|\underline{\bar{Cl}} - \underline{\bar{O}} - \underline{\bar{Cl}}|$	2 simples	8	O	sp^3
XeF_2	$|\bar{F} - \langle Xe \rangle - \bar{F}|$	2 simples	9	Xe	dsp^3
IF_5		5 simples	16·	I	d^2sp^3
$SbCl_3$		3 simples	10	Sb	sp^3
$SiCl_4$		4 simples	12	Si	sp^3
AsF_5		5 simples	15	As	dsp^3
C_2N_2	$|N \equiv C - C \equiv N|$	1 simple 2 triples	2	C N	sp sp

Exercice 13

– Molécule SCl_2

Structure de Lewis:

$$|\overline{Cl} \overset{\sigma}{-} \overline{S} \overset{\sigma}{-} \overline{Cl}|$$

Autour de l'atome central S, il y a deux orbitales moléculaires σ et deux paires d'électrons libres. Cet atome est donc hybridé sp^3 et sa représentation spatiale est AB_2L_2. La géométrie de la molécules est :

Cette molécule est polaire puisque les vecteurs de polarité des liaisons $S-Cl$ ne s'annulent pas.

– Molécule CH_3Cl

Structure de Lewis:

Autour de l'atome central C, il y a quatre orbitales moléculaires σ. Cet atome est donc hybridé sp^3 et la représentation spatiale est AB_4. La géométrie de la molécule est la suivante:

Cette molécule est polaire puisque les vecteurs de polarité des liaisons $C-H$ et $C-Cl$ ne s'annulent pas.

– Molécule PCl_3

Structure de Lewis:

Autour de l'atome central P, il y a trois orbitales moléculaires σ et une paire d'électrons libres. Cet atome est donc hybridé sp^3 et la représentation spatiale est AB_3L. La géométrie de la molécule est la suivante:

Cette molécule est polaire puisque les vecteurs de polarité des liaisons P – Cl ne s'annulent pas.

– Molécule CH_2Cl_2

Structure de Lewis:

$$H \overset{\sigma}{-} \underset{\underset{|\overline{Cl}|}{\overset{|}{\overset{\sigma}{|}}}}{\overset{\overset{H}{\overset{|}{\overset{\sigma}{|}}}}{C}} \overset{\sigma}{-} \overline{\overline{Cl}}|$$

L'atome central, C, est entouré de quatre orbitales moléculaires σ. Cet atome est donc hybridé sp^3 et la représentation spatiale est AB_4. La géométrie de cette molécule est la suivante:

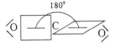

Cette molécule est polaire puisque les vecteurs de polarité des liaisons C–H et C–Cl ne s'annulent pas.

– Molécule CO_2

Structure de Lewis:

$$\overline{|O} \overset{\sigma}{\underset{\pi}{=}} C \overset{\sigma}{\underset{\pi}{=}} \overline{O|}$$

Autour de l'atome central C, il y a deux orbitales moléculaires σ. Cet atome est donc hybridé sp et la représentation spatiale est AB_2. Cette molécule est linéaire et sa géométrie peut être décrite comme suit:

Cette molécule est non polaire puisque les vecteurs de polarité des liaisons C–O s'annulent, étant identiques et opposés.

– Molécule HCN

Structure de Lewis:

$$H \overset{\sigma}{-} C \overset{\overset{\pi}{\equiv}}{\underset{\sigma}{}} N|$$

Autour de l'atome central C, il y a deux orbitales moléculaires σ. Cet atome est donc hybridé sp et la représentation spatiale est AB_2. La géométrie de la molécule est la suivante:

Cette molécule est polaire puisque les vecteurs de polarité des liaisons C–H et C–N ne s'annulent pas, leur intensité étant différente.

Exercice 14

– Structure de Lewis de NH_3:

$$H \underset{\sigma}{-} \overline{\underset{|\sigma}{N}} \underset{\sigma}{-} H$$
$$H$$

– Structure de Lewis de $AlCl_3$:

$$|\overline{Cl} \underset{\sigma}{-} \underset{|\sigma}{Al} \underset{\sigma}{-} \overline{Cl}|$$
$$|\underline{Cl}|$$

– Structure de Lewis de NH_3AlCl_3:

$$
\begin{array}{ccc}
H & & |\overline{Cl}| \\
\sigma| & & \sigma| \\
H \underset{\sigma}{-} N & \overset{\to}{\sigma} & Al \underset{\sigma}{-} \overline{Cl}| \\
\sigma| & & \sigma| \\
H & & |\underline{Cl}|
\end{array}
$$

Exercice 15

Configuration électronique du soufre et cases quantiques:

$1s^2$ $2s^2$ $2p^6$ $3s^2$ $3p^4$

Le soufre peut être excité de façon à obtenir quatre ou six électrons célibataires, de sorte qu'il peut former quatre ou six liaisons avec le fluor. Les formules possibles des composés sont donc: SF_4 et SF_6.

– Molécule SF_4

Structure de Lewis:

$$
\begin{array}{ccc}
|\overline{F} & & \overline{F}| \\
& \overline{S} & \\
|\underline{F}| & & \overline{F}|
\end{array}
$$

Le soufre est entouré de quatre orbitales moléculaires σ et d'une paire d'électrons libres. Cet atome est donc hybridé dsp^3. La géométrie de la molécule est:

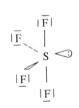

– Molécule SF$_6$:

Structure de Lewis:

Le soufre est entouré de six orbitales moléculaires σ. Il est donc hybridé d^2sp^3. La géométrie de la molécule est:

EXERCICES RÉSOLUS

Exercice 1

Nom	Formule	Degrés d'oxydation
nitrure de lithium	Li_3N	Li (+1), N (−3)
arsine	AsH_3	As (+3), H (−1)
phosphate de calcium	$Ca_3(PO_4)_2$	Ca (+2), O (−2), P (+5)
pentoxyde d'azote	N_2O_5	N (+5), O (−2)
trioxyde de phosphore	P_2O_3	P (+3), O (−2)
perchlorate de bismuth (III)	$Bi(ClO_4)_3$	Bi (+3), O (−2), Cl (+7)
pentachlorure d'antimoine	$SbCl_5$	Sb (+5), Cl (−1)
ammoniac	NH_3	N (−3), H (+1)
acide cyanhydrique	HCN	H (+1), C (+2), N (−3)
chlorure d'ammonium	NH_4Cl	N (−3), H (+1), Cl (−1)

Exercice 2

a) Réactifs: P_2O_5, H_2O et NaOH

P_2O_5 est un oxyde non métallique à caractère acide.
NaOH est un hydroxyde à caractère basique.

Il y a d'abord réaction de l'oxyde avec l'eau selon l'équation:

$$P_2O_{5(s)} + 3\ H_2O_{(l)} \rightarrow 2\ H_3PO_{4(aq)}$$

Suit, ensuite, une réaction de substitution acido-basique entre l'oxacide obtenu et l'hydroxyde de sodium selon l'équation:

$$H_3PO_{4(aq)} + 3\ NaOH_{(aq)} \rightarrow Na_3PO_{4(aq)} + 3\ H_2O_{(l)}$$

D'où l'équation de la réaction globale suivante obtenue après avoir multiplié la deuxième équation par deux:

$$P_2O_{5(s)} + 6\ NaOH_{(aq)} \rightarrow 2\ Na_3PO_{4(aq)} + 3\ H_2O_{(l)}$$

Réactifs: P_2O_5, H_2O et HCl

P_2O_5 est un oxyde non métallique à caractère acide.

HCl est un hydracide fort.

Il y a d'abord réaction de l'oxyde avec l'eau selon l'équation:

$$P_2O_{5(s)} + 3\ H_2O_{(l)} \rightarrow\ 2\ H_3PO_{4(aq)}$$

Toutefois, le produit obtenu étant un acide, il n'y a donc pas de réaction puisque l'autre réactif, HCl, est aussi un acide. Aucune réaction d'oxydo-réduction ne peut se produire non plus.

b) Réactifs: As_2O_3, H_2O et $NaOH$

As_2O_3 est un oxyde non métallique à caractère acide.

$NaOH$ est un hydroxyde à caractère basique.

Il y a d'abord réaction de l'oxyde avec l'eau selon l'équation:

$$As_2O_{3(s)} + 3\ H_2O_{(l)} \rightarrow\ 2\ H_3AsO_{3(aq)}$$

Suit, ensuite, une réaction de substitution acido-basique entre l'oxacide obtenu et l'hydroxyde de sodium selon l'équation:

$$H_3AsO_{3(aq)} + 3\ NaOH_{(aq)} \rightarrow\ Na_3AsO_{3(aq)} + 3\ H_2O_{(l)}$$

L'équation de la réaction globale est obtenue après avoir multiplié la deuxième équation par deux:

$$As_2O_{3(s)} + 6\ NaOH_{(aq)} \rightarrow\ 2\ Na_3AsO_{3(aq)} + 3\ H_2O_{(l)}$$

Réactifs: As_2O_3, H_2O et HCl

As_2O_3 est un oxyde non métallique à caractère acide.

HCl est un hydracide fort.

Il y a d'abord réaction de l'oxyde avec l'eau selon l'équation:

$$As_2O_{3(s)} + 3\ H_2O_{(l)} \rightarrow\ 2\ H_3AsO_{3(aq)}$$

Toutefois, le produit obtenu étant un acide, il n'y a donc pas de réaction puisque l'autre réactif, HCl, est aussi un acide. Aucune réaction d'oxydo-réduction ne peut se produire non plus.

c) Réactifs: Bi_2O_3, H_2O et $NaOH$

Bi_2O_3 est un oxyde métallique à caractère basique.

$NaOH$ est un hydroxyde et une base forte.

L'oxyde de bismuth, est peu soluble dans l'eau:

$$Bi_2O_{3(s)} + 3\ H_2O_{(l)} \rightleftharpoons\ 2\ Bi(OH)_{3(s)}$$

Il n'y a donc pas de réaction de substitution acido-basique entre les réactifs: le produit obtenu étant un hydroxyde, il ne réagit pas avec $NaOH$, un autre hydroxyde. Aucune réaction d'oxydoréduction ne peut se produire non plus.

Réactifs: Bi_2O_3, H_2O et HCl

Bi_2O_3 est un oxyde métallique à caractère basique.

HCl est un hydracide fort.

Il y a d'abord équilibre de l'oxyde avec l'eau selon l'équation:

$$Bi_2O_{3(s)} + 3\ H_2O_{(l)} \rightleftharpoons 2\ Bi(OH)_{3(s)}$$

Suit, ensuite, une réaction de substitution acido-basique entre l'hydroxyde obtenu et l'acide chlorhydrique selon l'équation:

$$Bi(OH)_{3(s)} + 3\ HCl_{(aq)} \rightarrow BiCl_{3(aq)} + 3\ H_2O_{(l)}$$

Après avoir multiplié la deuxième équation par deux, on obtient l'équation globale suivante:

$$Bi_2O_{3(s)} + 6\ HCl_{(aq)} \rightarrow 2\ BiCl_{3(aq)} + 3\ H_2O_{(l)}$$

Exercice 3

Ammoniac: NH_3
Phosphine: PH_3
Arsine: AsH_3

La molécule d'ammoniac est polaire et contient des atomes d'hydrogène reliés à l'atome d'azote, un petit atome très électronégatif: il y a donc formation de ponts hydrogène entre les molécules d'ammoniac à l'état liquide. Entre les molécules de phosphine et entre celles d'arsine à l'état liquide, il n'y a pas formation de ponts hydrogène, les atomes de phosphore et d'arsenic étant trop volumineux et trop peu électronégatifs. Aussi la température d'ébullition de l'ammoniac est supérieure à celle de l'arsine et de la phosphine.

Exercice 4

a) Réactifs: NH_3 et HCl en solution aqueuse

NH_3 est une base faible.
HCl est un hydracide fort.

D'où la possibilité d'une réaction de substitution acido-basique puisqu'il y formation d'eau, un électrolyte très faible:

$$NH_{3(aq)} + H_2O_{(l)} \rightleftharpoons NH_4^+{}_{(aq)} + OH^-{}_{(aq)}$$

$$HCl_{(aq)} \rightarrow H^+{}_{(aq)} + Cl^-{}_{(aq)}$$

$$H^+{}_{(aq)} + OH^-{}_{(aq)} \rightarrow H_2O_{(l)}$$

L'équation de la réaction globale est donc la suivante:

$$NH_{3(aq)} + HCl_{(aq)} \rightarrow NH_4Cl_{(aq)}$$

b) Réactifs: HNO_3 et $Ca(OH)_2$, en solution aqueuse

HNO_3 est un oxacide fort.
$Ca(OH)_2$ est un hydroxyde et une base faible.

Il y a donc réaction de substitution acido-basique entre ces deux réactifs en remplaçant l'ion H^+ par l'ion Ca^{2+}, puisqu'alors il y a formation d'eau, électrolyte très faible:

$$2\ HNO_{3(aq)} + Ca(OH)_{2(s)} \rightarrow Ca(NO_3)_{2(aq)} + 2\ H_2O_{(l)}$$

c) Réactifs: Cu et HNO_3 en solution aqueuse, milieu acide, conditions standard.

Il ne peut pas y avoir réaction de substitution puisque le cuivre ne contient pas d'ions. Considérons la possibilité d'une réaction d'oxydoréduction:

Demi-réactions possibles:

$$Cu_{(s)} \rightarrow Cu^+_{(aq)} + e^- \qquad\qquad \varepsilon_o° = -0,52 \text{ V}$$

$$Cu_{(s)} \rightarrow Cu^{2+}_{(aq)} + 2 e^- \qquad\qquad \varepsilon_o° = -0,34 \text{ V}$$

$$2 H^+_{(aq)} + 2 e^- \rightarrow H_{2(g)} \qquad\qquad \varepsilon_r° = 0,00 \text{ V}$$

$$NO_3^-_{(aq)} + 4 H^+_{(aq)} + 3 e^- \rightarrow NO_{(g)} + 2 H_2O_{(l)} \qquad\qquad \varepsilon_r° = 0,96 \text{ V}$$

$$2 H_2O_{(l)} \rightarrow O_{2(g)} + 4 H^+_{(aq)} + 4 e^- \qquad\qquad \varepsilon_o° = -1,23 \text{ V}$$

Le plus fort oxydant, l'ion NO_3^- et le plus fort réducteur, Cu, (se transformant en Cu^{2+}) réagissent spontanément ($E° = 0,62$ V) par oxydoréduction selon l'équation ionique nette suivante:

$$3 Cu_{(s)} + 2 NO_3^-_{(aq)} + 8 H^+_{(aq)} \rightarrow 3 Cu^{2+}_{(aq)} + 2 NO_{(g)} + 4 H_2O_{(l)}$$

Sous forme moléculaire, cette dernière équation s'écrit:

$$3 Cu_{(s)} + 8 HNO_{3(aq)} \rightarrow 3 Cu(NO_3)_{2(aq)} + 2 NO_{(g)} + 4 H_2O_{(l)}$$

d) Réactifs: N_2O_5 et H_2O

N_2O_5 est un oxyde non métallique à caractère acide.

La réaction d'addition suivante a donc lieu:

$$N_2O_{5(g)} + H_2O_{(l)} \rightarrow 2 HNO_{3(aq)}$$

e) Réactifs: $(NH_4)_2CO_3$ et HCl en solution aqueuse

Ions composant les réactifs: NH_4^+, CO_3^{2-}, H^+, Cl^-

En remplaçant l'ion NH_4^+, par l'ion H^+, on obtient la réaction de substitution suivante:

$$(NH_4)_2CO_{3(aq)} + 2 HCl_{(aq)} \rightarrow 2 NH_4Cl_{(aq)} + H_2CO_{3(aq)}$$

L'acide carbonique, en solution aqueuse, prend sa forme prédominante CO_2:

$$H_2CO_{3(aq)} \rightarrow CO_{2(g)} + H_2O_{(l)}$$

Aussi l'équation de la réaction globale est la suivante:

$$(NH_4)_2CO_{3(aq)} + 2 HCl_{(aq)} \rightarrow 2 NH_4Cl_{(aq)} + CO_{2(g)} + H_2O_{(l)}$$

f) Réactifs: As et O_2, non en solution aqueuse

Il n'y a pas possibilité de réaction de substitution puisque As ne contient pas d'ions. Considérons la possibilité d'une réaction d'oxydoréduction.

Élément le moins électronégatif: As
Élément le plus électronégatif: O

Degrés d'oxydation du moins électronégatif: +3 et +5
Degré d'oxydation du plus électronégatif: -2

Demi-réactions

$$As_{(s)} \rightarrow As^{3+} + 3 \ e^-$$

$$As_{(s)} \rightarrow As^{5+} + 5 \ e^-$$

$$O_{2(g)} + 4 \ e^- \rightarrow 2 \ O^{2-}$$

Équations équilibrées des réactions d'oxydoréduction:

$$4 \ As_{(s)} + 3 \ O_{2(g)} \rightarrow 2 \ As_2O_{3(s)} \quad \text{(excès d'arsenic)}$$

$$4 \ As_{(s)} + 5 \ O_{2(g)} \rightarrow 2 \ As_2O_{5(s)} \quad \text{(excès d'oxygène)}$$

g) Réactifs: P_2O_3 et O_2, non en solution aqueuse

Il n'y a pas de possibilité de réaction de substitution spontanée entre ces réactifs puisqu'ils ne contiennent pas d'ions. Considérons la possibilité de réaction d'oxydoréduction.

P_2O_3 est un oxyde non métallique dans lequel le phosphore est au degré d'oxydation +3. Le phosphore peut aussi acquérir le degré d'oxydation +5; l'oxygène est un bon oxydant qui peut acquérir le degré d'oxydation -2. D'où la réaction d'oxydoréduction:

$$P_2O_{3(s)} + O_{2(g)} \rightarrow P_2O_{5(l)}$$

h) Réactifs: As_2O_5 et H_2O

As_2O_5 est un oxyde non métallique à caractère plutôt acide.

La réaction d'addition suivante peut donc se produire et s'écrire selon l'équation:

$$As_2O_{5(s)} + 3 \ H_2O_{(l)} \rightarrow 2 \ H_3AsO_{4(aq)}$$

i) Réactifs: NH_4Cl et $NaOH$ en solution aqueuse

Ions composant les réactifs: NH_4^+, Cl^-, Na^+, OH^-

En remplaçant le radical NH_4^+ par l'ion Na^+, on obtient l'équation équilibrée de la réaction de substitution suivante:

$$NH_4Cl_{(aq)} + NaOH_{(aq)} \rightarrow NaCl_{(aq)} + NH_4OH_{(aq)}$$

Or NH_4OH existe sous sa forme prédominante NH_3 en solution aqueuse. D'où:

$$NH_4OH_{(aq)} \rightarrow NH_{3(g)} + H_2O_{(l)}$$

L'équation de la réaction globale est donc la suivante:

$$NH_4Cl_{(aq)} + NaOH_{(aq)} \rightarrow NaCl_{(aq)} + NH_{3(aq)} + H_2O_{(l)}$$

Cette réaction de substitution est spontanée puisqu'il y a formation d'un électrolyte très faible, l'eau.

j) Réactifs: Li et N_2, non en solution aqueuse

Élément le moins électronégatif: Li

Élément le plus électronégatif: N

Degré d'oxydation du moins électronégatif: +1

Degré d'oxydation du plus électronégatif: -3

Demi-réactions:

$$Li_{(s)} \rightarrow Li^+ + e^-$$

$$N_{2(g)} + 6\,e^- \rightarrow 2\,N^{3-}$$

Équation équilibrée de la réaction d'oxydoréduction:

$$6\,Li_{(s)} + N_{2(g)} \rightarrow 2\,Li_3N_{(s)}$$

Exercice 5

a) Molécule: SbH_3

Structure de Lewis:

$$H \underset{\sigma}{-} \overset{\rule{0.8em}{0.4pt}}{\underset{\underset{H}{|\sigma}}{Sb}} \underset{\sigma}{-} H$$

Autour de l'atome central, Sb, il y a trois orbitales moléculaires σ et une paire d'électrons libres. Cet atome est donc hybridé sp^3 et la représentation spatiale est AB_3L. La configuration spatiale de la molécule peut donc être représentée ainsi:

b) Molécule: AsF_5

Structure de Lewis:

Autour de l'atome central, As, il y a cinq orbitales moléculaires σ. Cet atome est donc hybridé dsp^3 et la représentation spatiale est AB_5. Les atomes de fluor sont entourés d'une orbitale moléculaire σ et de trois paires d'électrons libres: ces derniers sont donc hybridés sp^3 et leur représentation spatiale est ABL_3. La configuration spatiale de la molécule peut donc être représentée ainsi:

c) Molécule: N_2H_4

Structure de Lewis:

$$H \underset{\sigma}{-} \overline{\underset{\sigma|}{N}} \underset{\sigma}{-} \overline{\underset{\sigma|}{N}} \underset{\sigma}{-} H$$
$$ H H$$

Autour de chaque atome d'azote, il y a trois orbitales moléculaires σ et une paire d'électrons libres. Ces atomes sont donc hybridés sp^3 et leur représentation spatiale est AB_3L. La molécule peut donc être représentée ainsi:

d) Molécule: H_3PO_4

Structure de Lewis:

$$\overline{|\overline{O}|}$$
$$\uparrow \sigma \text{ coord}$$
$$H \underset{\sigma}{-} \overline{\underset{}{O}} \underset{\sigma}{-} \underset{|\sigma}{P} \underset{\sigma}{-} \overline{\underset{}{O}} \underset{\sigma}{-} H$$
$$|\underset{|\sigma}{O}|$$
$$H$$

Autour de l'atome de phosphore, il y a quatre orbitales moléculaires σ; cet atome est donc hybridé sp^3 et la représentation spatiale est AB_4. Autour de trois des atomes d'oxygène, il y a deux orbitales moléculaires σ et deux paires d'électrons libres: ceux-ci sont donc hybridés sp^3 et leur représentation spatiale est AB_2L_2. Finalement, l'autre atome d'oxygène est entouré d'une orbitale moléculaire σ et de trois paires d'électrons libres: ce dernier est donc hybridé sp^3 lui aussi, mais la représentation spatiale autour de ce dernier est ABL_3. La molécule peut donc être représentée ainsi:

e) Ion moléculaire: PCl_6^-

Structure de Lewis:

Autour de l'atome central P, il y a 6 orbitales moléculaires σ, ce qui entraîne une hybridation d^2sp^3 et une représentation spatiale AB_6.

Chaque atome de chlore, entouré d'une orbitale moléculaire σ et de trois paires d'électrons libres, est hybridé sp^3 et la représentation spatiale autour de ces derniers est alors ABL_3. La configuraiton spatiale de la molécule peut donc être représentée ainsi:

Exercice 6

Toujours cultiver les mêmes plantes aux mêmes endroits appauvrit un sol puisqu'une plante se nourrit toujours des mêmes éléments. L'alternance des cultures permet un meilleur équilibre chimique du sol et d'en exploiter tous les éléments. Certaines plantes génèrent même de l'azote assimilable, ce qui peut permettre d'enrichir le sol lors de leur culture. Par contre, l'utilisation d'engrais chimiques appropriés peut compenser l'appauvrissement du sol.

Exercice 7

$V(NH_3) = 300$ L
$p(NH_3) = 325$ kPa
$T = 275°C$
rendement $= 91,0\%$
$m(HNO_3) = ?$

Réactions chimiques: (voir le texte à la page 271)

$$4\ NH_{3(g)} + 5\ O_{2(g)} \rightarrow 4\ NO_{(g)} + 6\ H_2O_{(g)}$$

$$2\ NO_{(g)} + O_{2(g)} \rightarrow 2\ NO_{2(g)}$$

$$3\ NO_{2(g)} + H_2O_{(g)} \rightarrow 2\ HNO_{3(aq)} + NO_{(g)}$$

Multiplions, d'abord, la deuxième équation par 2 afin que le NO produit dans la première réaction soit égal au NO consommé dans la deuxième; l'addition des deux équations donnent alors:

$$4 \; NH_{3(g)} + 7 \; O_{2(g)} \;\rightarrow\; 4 \; NO_{2(g)} + 6 \; H_2O_{(g)}$$

Multiplions, ensuite, cette dernière équation par 3 et la troisième par 4, afin d'égaliser les quantités de NO_2 produites et consommées dans ces deux réactions; l'addition des deux équations donnent alors l'équation globale suivante:

$$12 \; NH_{3(g)} + 21 \; O_{2(g)} \;\rightarrow\; 8 \; HNO_{3(aq)} + 4 \; NO_{(g)} + 14 \; H_2O_{(l)}$$

$n(NH_3) = p(NH_3) \; V / RT$

$n(NH_3) = (325 \; kPa \times 300 \; L) / (\; 8,31 \; kPa\text{-}L/K\text{-}mol \times 548 \; K \;) = 21,4 \; mol$

$n(HNO_3) = n(NH_3) \times 8/12 = 21,4 \; mol \times 8/12 = 14,3 \; mol$

$m(HNO_3)_{théorique} = n(HNO_3) \times M(HNO_3) = 14,3 \; mol \times 63,0128 \; g/mol = 901 \; g$

$m(HNO_3)_{expérimentale} = 901 \; g \times 91,0/100 = 820 \; g$

Exercice 8

$m(P_2O_5) = 1,00 \; kg$ ou $1,00 \times 10^3 \; g$

$m(P_4) = ?$

Équation chimique équilibrée de la réaction:

$$2 \; P_2O_{5(s)} + 10 \; C_{(s)} \;\rightarrow\; P_{4(s)} + 10 \; CO_{(g)}$$

$n(P_2O_5) = m(P_2O_5) / M(P_2O_5) = 1,00 \times 10^3 \; g / (141,9444 \; g/mol) = 7,05 \; mol$

$n(P_4) = n(P_2O_5) \times 1/2 = 7,05 \; mol \times 1/2 = 3,53 \; mol$

$m(P_4) = n(P_4) \times M(P_4) = 3,53 \; mol \times 123,895 \; g/mol = 437 \; g$

EXERCICES RÉSOLUS

Exercice 1

La caténation est la propriété d'un atome à se lier facilement à lui-même pour former des chaînes ou des cycles moléculaires. Les liaisons covalentes entre atomes semblables sont très fortes dans le cas du carbone. Pour les autres éléments, ce type de liaison est beaucoup plus faible (voir tableau 11.2 du manuel).

Exercice 2

$HCN_{(g)}$: cyanure d'hydrogène

$HCN_{(aq)}$: acide cyanhydrique

KCN: cyanure de potassium

KSCN: thiocyanate de potassium

$NaHCO_3$: hydrogénocarbonate de sodium ou bicarbonate de sodium

Na_2CO_3: carbonate de sodium

$CaCO_3$: carbonate de calcium

CO_2 : dioxyde de carbone

CO: monoxyde de carbone

Exercice 3

a) Réactifs: CO et O_2, non en solution aqueuse.

CO est un oxyde non métallique dans lequel le carbone est au degré d'oxydation +2 mais le carbone peut également prendre le degré d'oxydation +4, en présence d'un oxydant comme l'oxygène, lequel acquiert alors le degré d'oxydation -2.

Demi-réactions:

$$C^{2+} \rightarrow C^{4+} + 2\,e^-$$

$$O_{2(g)} + 4\,e^- \rightarrow 2\,O^{2-}$$

Équation équilibrée de la réaction d'oxydoréduction:

$$2\,CO_{(g)} + O_{2(g)} \rightarrow 2\,CO_{2(g)}$$

b) Réactifs: FeO et C, non en solution aqueuse.

FeO est un oxyde métallique, où le fer est au degré d'oxydation +2 et qui peut soit être oxydé en +3 ou réduit en fer métallique.

C est un non-métal qui peut se comporter comme un réducteur et prendre les degrés d'oxydation +2 et +4.

En présence du réducteur qu'est le carbone, c'est donc la réaction d'oxydo-réduction illustrée par l'équation suivante qui se produit:

$$FeO_{(s)} + C_{(s)} \rightarrow Fe_{(s)} + CO_{(g)}$$

Pour former du fer métallique, au degré d'oxydation zéro, la quantité d'oxygène (un oxydant) doit être réduite, de sorte que CO est favorisé et non de CO_2.

c) Réactifs: ZnO et CO, non en solution aqueuse.

ZnO est un oxyde métallique où le zinc au degré d'oxydation +2 peut être réduit en zinc métallique au degré d'oxydation zéro en présence d'un réducteur.

CO, monoxyde de carbone, est un réducteur où le carbone est au degré d'oxydation +2. Ce composé peut donc s'oxyder en faisant passer le degré d'oxydation du carbone de +2 à +4.

L'équation de la réaction d'oxydoréduction entre ces deux composés est donc la suivante:

$$ZnO_{(s)} + CO_{(g)} \rightarrow Zn_{(s)} + CO_{2(g)}$$

d) Réactif: $CaCO_3$, chaleur, non en solution aqueuse.

En présence de chaleur, les carbonates subissent souvent une décomposition en dégageant du CO_2. L'équation de la réaction de décomposition du carbonate de calcium est donc la suivante:

$$CaCO_{3(s)} + \text{chaleur} \rightarrow CaO_{(s)} + CO_{2(g)}$$

e) Réactifs: $CaCO_3$ et HCl en solution aqueuse.

Ions composant les réactifs: Ca^{2+}, CO_3^{2-}, H^+, Cl^-

En remplaçant les ions Ca^{2+} par les ions H^+, la réaction de substitution suivante peut se produire:

$$CaCO_{3(s)} + 2\,HCl_{(aq)} \rightarrow CaCl_{2(aq)} + H_2CO_{3(aq)}$$

L'acide carbonique existe sous sa forme prédominante de gaz CO_2 en solution aqueuse:

$$H_2CO_{3(aq)} \rightarrow CO_{2(g)} + H_2O_{(l)}$$

L'équation de la réaction globale est donc la suivante:

$$CaCO_{3(s)} + 2\,HCl_{(aq)} \rightarrow CaCl_{2(aq)} + CO_{2(g)} + H_2O_{(l)}$$

Cette réaction est spontanée puisque, parmi les produits, se trouvent des électrolytes plus faibles que les réactifs, soit CO_2 et H_2O.

f) Réactifs: CO_2 et KOH, en solution aqueuse.

CO_2 est un oxyde non métallique à caractère acide qui réagit avec l'eau selon l'équation:

$$CO_{2(g)} + H_2O_{(l)} \rightleftharpoons H_2CO_{3(aq)} \rightleftharpoons 2\ H^+_{(aq)} + CO_3^{2-}_{(aq)}$$

En remplaçant les ions H^+ par les ions K^+, la réaction de substitution peut se produire selon l'équation suivante:

$$CO_{2(g)} + H_2O_{(l)} + 2\ KOH_{(aq)} \rightarrow K_2CO_{3(aq)} + 2\ H_2O_{(l)}$$

Cette équation se simplifie de la façon suivante:

$$CO_{2(g)} + 2\ KOH_{(aq)} \rightarrow K_2CO_{3(aq)} + H_2O_{(l)}$$

Cette réaction est spontanée puisqu'elle conduit à la formation de l'électrolyte faible, H_2O.

Exercice 4

a) Molécule: CO_2

Structure de Lewis:

$$\langle O \overset{\pi}{\underset{\sigma}{=}} C \overset{\pi}{\underset{\sigma}{=}} O \rangle$$

L'atome de carbone est entouré de deux orbitales moléculaires σ, ce qui entraîne une hybridation sp du carbone et une représentation spatiale AB_2 autour de ce dernier. La configuration spatiale du dioxyde de carbone peut donc être représentée ainsi:

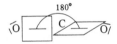

b) Ion moléculaire: CO_3^{2-}

Structure de Lewis:

$$\langle O \overset{\pi}{\underset{\sigma}{=}} \underset{\underset{|\overset{\underline{}}{O}|\,\ominus}{|\sigma}}{C} \overset{\sigma}{\underline{\underline{O}}}|\,\ominus$$

L'atome de carbone est entouré de trois orbitales moléculaires σ, ce qui entraîne une hybridation sp^2 du carbone et une représentation spatiale AB_3 autour de ce dernier. La configuration spatiale de l'ion carbonate peut donc être représentée ainsi:

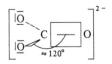

c) Molécule: $SiCl_4$

Structure de Lewis:

$$
\begin{array}{c}
|\overline{Cl}| \\
\overset{|\sigma}{} \\
|\overline{Cl} \overset{\sigma}{-} Si \overset{}{\underset{\sigma}{-}} \overline{Cl}| \\
\overset{\sigma|}{} \\
|\overline{Cl}|
\end{array}
$$

L'atome de silicium est entouré de quatre orbitales moléculaires σ; aussi cet atome est hybridé sp^3 et la représentation spatiale est AB_4 autour de ce dernier. La configuration spatiale du tétrachlorure de silicium peut donc être représentée ainsi:

d) Molécule: Si_3H_8

Structure de Lewis, en tenant compte que le silicium peut s'unir à lui-même comme le carbone mais dans une moindre mesure:

$$
\begin{array}{ccc}
H & H & H \\
|\sigma & |\sigma & |\sigma \\
H \overset{}{\underset{\sigma}{-}} Si \overset{\sigma}{-} Si \overset{}{-} Si \overset{\sigma}{-} H \\
|\sigma & \sigma| & \sigma \quad |\sigma \\
H & H & H
\end{array}
$$

Chacun des atomes de silicium est entouré de quatre orbitales moléculaires σ; ces atomes sont donc hybridés sp^3 et la représentation spatiale est AB_4 autour de ceux-ci. La configuration spatiale de cette molécule peut donc être représentée ainsi:

e) Ion moléculaire: SiF_6^{2-}

Structure de Lewis:

L'atome de silicium est entouré de six orbitales moléculaires σ; il est donc hybridé d^2sp^3 et la représentation spatiale autour de cet atome est AB_6. La configuration spatiale de cette molécule peut donc être représentée ainsi:

Exercice 5

$V(CO_2) = 200$ mL
$T = 27,0°C$
$p(CO_2) = 103,2$ kPa
$m(BaCO_3) = ?$

Équation chimique équilibrée:

$$Ba(OH)_{2(aq)} + CO_{2(g)} \rightarrow BaCO_{3(s)} + 2\,H_2O_{(aq)}$$

$n(CO_2) = p(CO_2)\,V\,/\,RT$
$n(CO_2) = (103,2\text{ kPa} \times 0,200\text{ L}) / (8,31\text{ kPa-L/K-mol} \times 300,1\text{ K})$
$n(CO_2) = 8,28 \times 10^{-3}$ mol
$n(BaCO_3) = n(CO_2) = 8,28 \times 10^{-3}$ mol
$m(BaCO_3) = n(BaCO_3) \times M(BaCO_3)$
$m(BaCO_3) = 8,28 \times 10^{-3}\text{ mol} \times 197,35\text{ g/mol} = 1,63$ g

Exercice 6

Réactifs: CaO et SiO_2

CaO est un oxyde métallique à caractère basique.
SiO_2 est un oxyde non métallique à caractère acide.

Il y a réaction acido-basique entre ces réactifs puisque le premier oxoyde est basique et le second, acide. La température doit être suffisamment élevée pour les liquéfier. Le silicate de calcium liquide ainsi formé est appelé laitier dans les hauts-fourneaux; il sert à dissoudre la plupart des impuretés lors de la fabrication de la fonte à partir de ferraille et de minerai.

Exercice 7

a) Réactifs: $CaCO_3$, HCl en solution aqueuse

Ions composant les réactifs: Ca^{2+}, CO_3^{2-}, H^+, Cl^-

En remplaçant l'ion Ca^{2+} par l'ion H^+, la réaction de substitution représentée par l'équation équilibrée suivante peut se produire:

$$CaCO_{3(s)} + 2\,HCl_{(aq)} \rightarrow CaCl_{2(aq)} + H_2CO_{3(aq)}$$

La forme prédominante dans une solution d'acide carbonique est le dioxyde de carbone, d'où:

$$H_2CO_{3(aq)} \rightarrow CO_{2(g)} + H_2O_{(l)}$$

L'équation équilibrée de la réaction globale est:

$$CaCO_{3(s)} + 2\,HCl_{(aq)} \rightarrow CaCl_{2(aq)} + CO_{2(g)} + H_2O_{(l)}$$

Il y a donc alors dégagement de gaz (CO_2), ce qui se manifeste par la formation de bulles.

b) Réactifs: Fe_2O_3 et HCl en solution aqueuse

Fe_2O_3 est un oxyde de métal à caractère basique. Il peut donc réagir avec l'acide chlorhydrique.

Ions composant les réactifs: Fe^{3+}, O^{2-}, H^+, Cl^-

En remplaçant l'ion Fe^{3+} par l'ion H^+, on obtient la réaction de substitution représentée par l'équation équilibrée suivante puisque, parmi les produits, se trouve un électrolyte très faible, l'eau:

$$Fe_2O_{3(s)} + 6\,HCl_{(aq)} \rightarrow 2\,FeCl_{3(aq)} + 3\,H_2O_{(l)}$$

La solution aqueuse résultant de cette dernière réaction se colore en jaune à cause de la présence du chlorure de fer (III).

c) Réactifs: SiO_2 et HCl en solution aqueuse

SiO_2 est un oxyde non métallique à caractère acide.
HCl est un acide fort.

Aussi l'oxyde de silicium ne réagit pas avec l'acide chlorhydrique. Des particules semi-transparentes se déposent au fond de la solution acide, puisque la silice, SiO_2, a été libérée suite à la dissolution du carbonate de calcium et de l'oxyde ferrique.

La pierre calcaire brunâtre en présence d'une solution aqueuse d'acide chlorhydrique se dissout donc en partie avec dépôt de particules transparentes au fond, alors que la solution se colore en jaune et qu'il se dégage des bulles de gaz inodore.

Exercice 8

Le gaz CO_2 est ininflammable, puisque le carbone est à son degré d'oxydation maximum, +4, dans ce composé et, par conséquent, ce gaz ne peut pas réagir par oxydoréduction avec l'oxygène de l'air. L'azote moléculaire, N_2, ne peut pas non plus réagir avec ce gaz. Lorsqu'il y a présence suffisante de dioxyde de carbone dans l'air, ce dernier, plus dense que l'air, tend à la remplacer dans les zones plus basses.

ÉTAT SOLIDE

EXERCICES RÉSOLUS

Exercice 1

a) Dans MgO, la différence d'électronégativité entre Mg et O est:
$$3,44 - 1,31 = 2,13$$
d'où un caractère ionique de 67% (tableau 2.2 du manuel). MgO est donc un cristal ionique.

b) Le silicium, Si, est un non-métal. Par conséquent, il forme des cristaux covalents à l'état solide.

c) Le soufre, S_8, est un non-métal existant sous forme de molécule composée de huit atomes de soufre. À l'état solide, il forme donc des cristaux moléculaires.

d) Dans CaF_2, la différence d'électronégativité entre Ca et F est:
$$4,00 - 1,00 = 3,00$$
d'où un caractère ionique de 89%. Ce composé forme donc des cristaux ioniques.

e) Le cuivre, Cu, est un métal; il forme des cristaux métalliques à l'état solide.

f) L'iode, I_2, est une molécule de non-métal composée de deux atomes d'iode. Il forme des cristaux moléculaires à l'état solide.

g) Dans le bromure de baryum, $BaBr_2$, la différence d'électronégativité entre Ba et Br est:
$$2,96 - 0,89 = 2,07$$
d'où un caractère ionique de 67%. Ce composé forme des cristaux ioniques à l'état solide.

h) Le plomb, Pb, est un métal; par conséquent, il forme des cristaux métalliques à l'état solide.

i) Dans CO_2, C et O sont tous deux des non-métaux et, par conséquent, le dioxyde de carbone est une molécule covalente. À l'état solide, cette molécule forme donc des cristaux moléculaires.

Exercice 2

NaCl: cristal ionique
I_2: cristal moléculaire
CO_2: cristal moléculaire
Cu: cristal métallique
H_2O: cristal moléculaire
C(diamant): cristal covalent

a) Le solide le plus malléable est un cristal métallique, soit le cuivre.

b) Le solide meilleur conducteur d'électricité est un cristal métallique, soit le cuivre.

c) Le solide le plus dur est un cristal covalent, soit le carbone sous forme de diamant.

Exercice 3

Les sels sont toujours constitués d'un métal de faible électronégativité et d'un non-métal (ou d'un radical) de forte électronégativité. Leur caractère ionique est donc important et ils cristallisent sous forme de cristaux ioniques. Les liaisons entre ces ions sont donc très fortes; aussi ces composés se retrouvent à l'état solide à la température de la pièce.

Exercice 4

L'argent cristallise sous forme cubique à faces centrées; aussi chacun des coins d'un cube et chaque centre des faces sont occupés par un atome d'argent (voir figure qui suit).

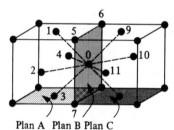

Plan A   Plan B   Plan C

L'atome d'argent, identifié 0 sur la figure précédente et situé entre les deux cubes illustrés, est entouré de quatre voisins immédiats le long du plan A, de quatre autres le long du plan B et de quatre autres le long du plan C. Aussi l'indice de coordination de l'argent dans ce cristal est égal à 12.

Le fer a cristallisé sous forme cubique centrée; chaque coin du cube et le centre du cube sont occupés par un atome de fer (voir figure qui suit).

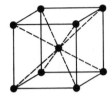

L'atome central est alors entouré de huit voisins immédiats, c'est-à-dire les atomes occupant chacun des coins du cube; aussi l'indice de coordination du fer est égal à 8.

Exercice 5

a) KBr

   $r(K^+) / r(Br^-) = 0,133$ nm $/ 0,196$ nm $= 0,679$
   D'après le tableau 12,5, l'indice de coordination est donc égal à 6.

b) NiO

   $r(Ni^{2+}) / r(O^{2-}) = 0,069$ nm $/ 0,132$ nm $= 0,523$
   Donc l'indice de coordination de ce composé est égal à 6.

c) Fe

   $r(Fe) / r(Fe) = 1$
   Donc l'indice de coordination du fer est égal à 12.

d) CsI

   $r(Cs^+) / r(I^-) = 0,167$ nm $/ 0,220$ nm $= 0,759$
   Donc l'indice de coordination de ce composé est égal à 8.

e) Mg

   $r(Mg) / r(Mg) = 1$
   Donc l'indice de coordination du magnésium est égal à 12.

Exercice 6

a) S_8 ou Cu

   Le cuivre possède la température de fusion la plus élevée puisqu'il forme des cristaux métalliques alors que le soufre forme des cristaux moléculaires. Les attractions intermoléculaires sont, en effet, plus faibles que les liaisons métalliques.

b) CaO ou KCl

   La température de fusion de CaO est plus élevée que celle de KCl. Tous les deux forment des cristaux ioniques; toutefois, les liaisons ioniques sont plus fortes dans CaO, les ions étant chargés doublement (Ca^{2+} et O^{2-}).

c) K ou Fe

K et Fe forment tous les deux des cristaux métalliques. Toutefois, les liaisons métalliques sont plus fortes dans le cas du fer, cet élément possédant plus d'électrons périphériques ($4s^23d^6$) que le potassium ($4s^1$)

d) Ni ou H_2O

Le nickel forme un cristal métallique et l'eau un cristal moléculaire. La liaison métallique étant plus forte que les attractions intermoléculaires, le nickel a donc une température de fusion plus élevée.

e) C ou P_4

Le carbone forme un cristal covalent alors que le phosphore forme un cristal moléculaire. La liaison covalente étant plus forte que les attractions intermoléculaires, la température de fusion du carbone est plus élevée que celle du phosphore.

f) O_2 ou H_2O

Ces deux substances forment, à l'état solide, des cristaux moléculaires. Toutefois, les attractions intermoléculaires sont beaucoup plus fortes entre les molécules d'eau qu'entre les molécules d'oxygène, principalement à cause de la présence de ponts hydrogène entre les molécules d'eau. Aussi la température de fusion de l'eau est nettement plus élevée que celle de l'oxygène.

Exercice 7

a) Chlorure de césium: CsCl

Rapport des rayons:

$r(Cs^+) / r(Cl^-)$ = 0,167 nm / 0,181 nm = 0,923

L'indice de coordination de CsCl est donc égal à 8.

b) Chlorure de sodium: NaCl

Rapport des rayons:

$r(Na^+) / r(Cl^-)$ = 0,097 nm / 0,181 nm = 0,536

L'indice de coordination de NaCl est donc égal à 6

Ces deux sels ioniques ne peuvent pas avoir la même structure cristalline puisqu'ils n'ont pas le même indice de coordination. En effet, CsCl cristallise sous forme cubique centrée et NaCl sous forme cubique simple.

Exercice 8

Équation de la réaction de formation d'une mole BaO:

$$Ba_{(s)} + 1/2\ O_{2(g)} \rightarrow BaO_{(s)}$$

Diagramme d'énergie potentielle de la formation de BaO:

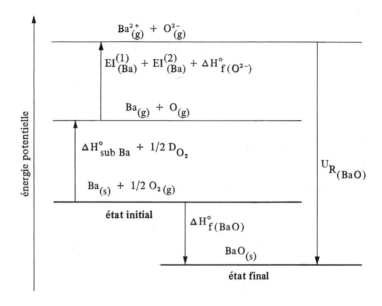

$U_R = \Delta H°_{f(BaO)} - \{\Delta H°_{subl(Ba)} + 1/2\ D_{(O_2)} + EI_{(Ba)}(1^{ère}) + EI_{(Ba)}(2^e) + \Delta H°_{f(O^{2-})}\}$

$U_R = -556,6 - \{178 + 1/2\ (493,8) + 502,2 + 962,6 + 711,4\}$

$U_R = -3158$ kJ/mol

Exercice 9

Équation de la réaction équilibrée de formation d'une mole de TiO_2:

$$Ti_{(s)} + O_{2(g)} \rightarrow TiO_{2(s)}$$

Diagramme d'énergie potentielle de formation de TiO_2:

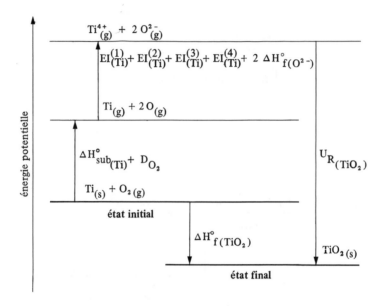

$$U_R = \Delta H°_{f(TiO_2)} - \{\Delta H°_{subl(Ti)} + D_{(O_2)} + EI_{(Ti)}(1^{ère}) + EI_{(Ti)}(2^e) + EI_{(Ti)}(3^e)$$

$$+ EI_{(Ti)}(4^e) + 2\,\Delta H°_{f(O^{2-})}\}$$

$$U_R = -911 - \{470 + 493,8 + 657,2 + 1312,4 + 2663,4 + 4147,6 + 2(711,4)\}$$

$$U_R = -12\,078 \text{ kJ/mol}$$

Exercice 10

Représentation des atomes dans un cristal cubique à faces centrées:

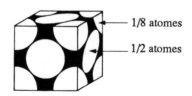

— 1/8 atomes

— 1/2 atomes

nombre d'atomes dans un cube:

> 6 faces × 1/2 atome = 3 atomes
> 8 coins × 1/8 atome = 1 atome
> nombre total d'atomes = 4 atomes

masse d'un atome de Ni = $M(Ni) / N_A$

masse d'un atome de Ni = $(58,70 \text{ g/mol}) / (6,023 \times 10^{23} \text{ atomes/mol})$

masse d'un atome de Ni = $9,746 \times 10^{-23}$ g/atome

masse d'un cube = 4 atomes x $9,746 \times 10^{-23}$ g/atome = $3,898 \times 10^{-22}$ g

volume du cube = $a^3 = (0,352 \times 10^{-7} \text{ cm})^3 = 4,36 \times 10^{-23}$ cm³

$\rho(Ni)$ = (masse d'un cube) / (volume d'un cube)

$\rho(Ni) = 3,898 \times 10^{-22}$ g / $4,36 \times 10^{-23}$ cm³ = 8,94 g/cm³

Exercice 11

Représentation des atomes dans un cristal cubique à faces centrées:

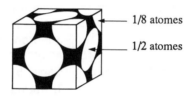

1/8 atomes

1/2 atomes

nombre d'atomes dans le cube:

> 6 faces × 1/2 atome = 3 atomes
> 8 coins × 1/8 atome = 1 atome
> nombre total d'atomes = 4 atomes

volume du cube = $a^3 = (0,285 \times 10^{-7} \text{ cm})^3 = 2,31 \times 10^{-23}$ cm³

volume d'un atome = volume du cube / nombre d'atomes

volume d'un atome = $2,31 \times 10^{-23}$ cm³ /4 atomes = $0,579 \times 10^{-23}$ cm³/atome

masse d'un atome = (masse volumique) × (volume d'un atome)

masse d'un atome = 7,92 g/cm³ × $0,579 \times 10^{-23}$ cm³ / atome

masse d'un atome = $4,58 \times 10^{-23}$ g/atome.

M = (masse d'un atome) × N_A = $(4,58 \times 10^{-23}$ g/atome) × $(6,023 \times 10^{23}$ atomes)

M = 27,6 g/mol

PUBLICATIONS

Les éditions Le Griffon d'argile

7649, boulevard Wilfrid-Hamel
Sainte-Foy (Québec)   G2G 1C3

Téléphone :(418) 871-6898
1 800 268-6898
Télécopieur :   (418) 871-6818
http://www.griffondargile.com
Liste établie en avril 1997

BIOLOGIE, CHIMIE

Biochimie clinique
Denis Doré

Biochimie descriptive et métabolique
Dominique Eymery

Biochimie générale
Marc-Antoine Tremblay

Biologie générale 101-301
Robert Breton

Chimie des eaux
Monique Tardat-Henry, Jean-Paul Beaudry

Chimie des solutions
(*corrigé disponible*)
Gaston J. Beaudoin, Marius Julien

La chimie et le monde moderne
Eddy Flamand, René-P. Tremblay

Chimie organique. Apprentissage individualisé
Gérard Roy

Chimie organique moderne
(*corrigé disponible*)
Jacques Bilodeau, Eddy Flamand

Équilibres en solution
Jean-Charles Cotnam, Richard Taillon

Traité de chimie des solutions
(*corrigé disponible*)
Gaston J. Beaudoin, René-P. Tremblay

Traité de chimie générale
(*corrigé disponible*)
Jean-Charles Cotnam, René Gendron

ENVIRONNEMENT

L'amiante
Réjean Nadeau

Chimie des eaux
Monique Tardat-Henry, Jean-Paul Beaudry

Dessin spécialisé en assainissement de l'eau
René Larocque

Éléments d'hydrologie
André Champoux, Claude Toutant

Guide d'échantillonnage à des fins d'analyses environnementales
Ministère de l'Environnement et de la
Faune du Québec

Cahier 1 : Généralités

Cahier 2 : Échantillonnage des rejets
liquides

Cahier 3 : Échantillonnage des eaux
souterraines

Cahier 4 : Échantillonnage des émissions
atmosphériques
en provenance de sources fixes

Cahier 5 : Échantillonnage des sols

Traitement des eaux
Jean-Paul Beaudry

ESPAGNOL, FRANÇAIS

Apprendre à communiquer en public
Francine Girard

Un paso adelante en gramática española
Étienne Poirier

20 grands auteurs pour découvrir la nouvelle
Vital Gadbois, Michel Paquin, Roger Reny

L'anapoème. L'analyse de la poésie strophique
(*corrigé disponible*)
Paul Beaudoin

**Comment écrire des histoires.
Guide de l'explorateur**
Élisabeth Vonarburg

**Du chevalier Roland à maître Pathelin.
Introduction à la littérature française
du Moyen Âge
par l'analyse littéraire**
Francine Favreau, Nicole Simard

La communication écrite au collégial
Jean-Louis Lessard

Calcul 1 (*corrigé disponible*)
Gilles Ouellet

Calcul 1 pour les sciences humaines et les techniques de gestion
André Ross

Calcul 2 (*corrigé disponible*)
Gilles Ouellet

Calcul 3 (*corrigé disponible*)
Gilles Ouellet

Calcul différentiel avec applications en sciences humaines
Gilles Ouellet

Calculatrice et mathématiques financières
Sylvie Bourque Picotte

Compléments de mathématiques pour les techniques de gestion
Gilles Ouellet

Éléments de biométrie
André Mercier

Mathématiques appliquées à l'électronique 1 et 2
(*corrigés disponibles*)
André Ross

Mathématiques au collégial
I: calcul différentiel, II: calcul intégral
Gilles Ouellet

Mathématiques pour les techniques de l'informatique (*corrigé disponible*)
André Ross

Mathématiques pour les techniques du bâtiment et du territoire
(*corrigé disponible*)
André Ross

Mathématiques pour les techniques industrielles
(*corrigé disponible*)
André Ross

Méthodes quantitatives en sciences humaines
Gilles Ouellet

Méthodes quantitatives en sciences humaines
Christiane Simard

Modèles mathématiques en gestion
(*corrigé disponible*)
André Ross

Modèles mathématiques I et II. Technologies du génie électrique
(*corrigés disponibles*)
André Ross

Statistique 201-337, notes de cours
Guy Brousseau

Statistiques
Gilles Ouellet

Vecteurs et matrices
Gilles Ouellet

PÉDAGOGIE

Simulations en classe-bureau
(*maître et élève*) (*formulaires disponibles*)
Jacqueline Michaud, Florent Tremblay

Typologie des formules pédagogiques
Michèle Tournier

PHILOSOPHIE

L'actuel et l'actualité
Jean-Paul Desbiens

Ambiguïté et contradiction
Jacques Marchand

Analyse critique du concept de nature
René Pellerin

Appel à la justice de l'État. Pierre du Calvet
Jean-Paul de Lagrave, Jacques-G. Ruelland

Apprendre à argumenter
Nicole Toussaint, Gaston Ducasse

L'apprentissage philosophique
G.-Magella Hotton, Jean-Claude Clavet

Approches pour une philosophie éthique et politique
Maurice Burgevin

Concept, représentation, raisonnement
Jean Michelin, Damien Plaisance

Les conceptions de l'être humain
Bernard Proulx

Condition humaine et mise en condition
Jacques Marchand

De l'être humain
Guy Brouillet

Discuter. Introduction à la philosophie
Rodrigue Blouin

L'évolution de l'homme en morale
Fernand Lafleur

Initiation à la logique conceptuelle
Jacques Laberge

Initiation philosophique en quatre leçons
Claude Collin

Introduction méthodique à la réflexion personnelle
Jacques Marchand

Itinéraires philosophiques
Michel Guertin

Le jeu de la réussite
Jacques Marchand

La Boétie et Montaigne sur les liens humains
Gérald Allard

La logique du raisonnement I et II
Gilles Doyon, Pierre Talbot

Machiavel sur les princes
Gérald Allard

Méthode de recherche philosophique
Claude Collin

La méthode socratique
Georges Frappier

La nouvelle histoire de la science
Robert M. Augros, Georges N. Stanciu, trad. Georges Allaire, Serge Tisseur

Philosopher au cégep
Jean-Claude Clavet, G.-Magella Hotton

Philosopher sous le règne du spectacle
André Baril

La philosophie marxiste. Pour une approche globale didactique
G.-Magella Hotton

La philosophie pour enfants. L'expérience Lipman
Louise Marcil-Lacoste

Le problème de Dieu
Jean-Claude Clavet

La rationalité vivante. Essai sur la pensée hégélienne
Jean-Luc Gouin

Réflexions sur l'agir. Personne et modernité
Jean-Claude Clavet, G.-Magella Hotton

Le rendez-vous humain
Jean Saucier

Rousseau sur le cœur humain
Gérald Allard

Rousseau sur les sciences et les arts
Gérald Allard

Le thème de notre temps. José Ortega y Gasset
Trad. David Benhaim, Francisco Bucio, Jean Trudel

Les valeurs et le sens de l'existence
Bernard Proulx

La voie de la sagesse selon Aristote
Georges Frappier

PHYSIQUE

Astronomie. Premier contact
Gaétan Morissette

Cinématique. Applications en génie mécanique
Michèle Côté

Électricité et magnétisme
Maurice A. Côté, Carol Ouellet

Physique mécanique (corrigé disponible)
André Auger

Physique mécanique. Exercices plus
Gaétan Morissette

Vibrations, ondes, optique et physique moderne
(corrigé disponible)
André Auger, Carol Ouellet

POÉSIE, NOUVELLES, RÉCIT, THÉÂTRE

Amours au cœur du pays (poésie)
Jean-Yves Chouinard

L'arbre et la roche (poésie)
Yvon LeBlond

Archipel, tome I (nouvelles)
Collectif

Un cri dans le désert (récit)
Gérard Blais

De grand-mère à Cupidon (théâtre)
François Beaulieu

Exister jusqu'à l'aube (poésie)
Marjolaine Marquis

La nuit est en avance d'un jour (poésie)
Michel Guay

La pipe dans le mur (nouvelle)
Jean-Claude DesChênes

SANTÉ

Appareillage de radiologie
D.N. Chesney, M.O. Chesney

Biochimie clinique
Denis Doré

Hygiène du travail
Collectif

Image radiographique
D.N. Chesney, M.O. Chesney

Santé et sécurité en laboratoire médical
Robert Richards

Thérapie respiratoire
Donald Egan, Richard Sheldon,
Charles Speaman

Les névroses
François Sirois

TECHNOLOGIE

Carburants, lubrifiants et plastiques.
Matières organiques employées en aéronautique
Richard Jolicœur

Cinématique. Applications en génie mécanique
Michèle Côté

Les composants de circuits
Denis Pétrin

Défi. Jeu d'entreprise informatisé
(maître et élève)
Marc Blais, Hélène Montreuil

Le dessin de patrons
Lee Gross, Ernestine Kopp, Vittorina Rolfo,
Beatrice Zelin,
trad. Michèle Langlois-Nethersole

Dessin spécialisé en assainissement de l'eau
René Larocque

Drainage et alimentation en eau potable des bâtiments
Michel Bolduc

Électronique industrielle
Hai Vo Ho, Ralph Mullen

Éléments de biométrie
André Mercier

Les enrobés bitumineux
André Lelièvre

La gestion documentaire
Joël Raiffaud

Le guide du rembourrage
Richard Côté, Roland Henry

Instrumentation et automation dans le contrôle des procédés
Abdalla Bsata

Marketing industriel.
Approvisionnement
Gaétan Gobeil, Ginette Jobidon

Métrologie en thermique
René Beaulieu, Pierre Bilodeau,
René Conte, André Girardey

Moteurs : équipements et véhicules de loisirs et
d'entretien (maître et élève)

Moteurs : hors-bord et semi-hors-bord
(maître et élève)

Moteurs : scie à chaîne et outils de jardinage
(maître et élève)
Série Small Engines. Réparation et entretien.
Collection Mid-America Vocational Curriculum Consortium

Technologie des granulats
Pierre-Claude Aïtcin, Guy Jolicœur,
Michel Mercier

Traitement des eaux
Jean-Paul Beaudry

CULTURE GÉNÉRALE

Apprendre à communiquer en public
Francine Girard

Comprendre le GATT
Ismaël Camara

Initiation à la littérature musicale
(livre et album de 4 disques compacts)
Hélène Paul, Louise Bail Milot,
Louise Hirbour

Parcours de la musique baroque
François Sirois

La photographie. Approche pratique
Francine Girard

Réussir et s'épanouir au bureau
Nicole Fecteau-Demers

Réussir son diaporama. Un guide d'apprentissage
Francine Girard

Valentin Jautard
Jean-Paul de Lagrave, Jacques-G. Ruelland